Peter Weiss
Die Verfolgung und Ermordung
Jean Paul Marats
dargestellt durch die Schauspielgruppe
des Hospizes zu Charenton
unter Anleitung des Herrn de Sade

Drama in zwei Akten

Suhrkamp Verlag

Musik von Hans-Martin Majewski
Vom Autor revidierte Fassung 1965

edition suhrkamp 68
24. Auflage, 344.–355. Tausend 1981
© Suhrkamp Verlag, Frankfurt am Main 1964. Printed in Germany. Alle Rechte
vorbehalten, insbesondere das der Übersetzung, des öffentlichen Vortrags, des
Rundfunkvortrags, der Verfilmung und Vertonung, auch einzelner Abschnitte.
Das Recht der Aufführung ist nur vom Suhrkamp Verlag in Frankfurt am Main zu
erwerben; den Bühnen und Vereinen gegenüber als Manuskript gedruckt. Satz,
in Linotype-Garamond, bei Georg Wagner, Nördlingen. Druck und Bindung bei
Ebner Ulm. Gesamtausstattung Willy Fleckhaus.

edition suhrkamp
im Dialog. Neues Deutsches Theater

Redaktion: Günther Busch

Die Reihe ›im Dialog. Neues Deutsches Theater‹ bringt ausschließlich deutschsprachige Stücke. Dramatiker versuchen der veränderten Thematik der Gegenwart mit neuen Formen zu begegnen.

Peter Weiss, geboren am 8. November 1916 in Nowawes bei Berlin, lebt heute in Stockholm. 1963 wurde er mit dem Charles-Veillon-Preis, 1965 mit dem Lessing-Preis der Hansestadt Hamburg und 1966 mit dem Heinrich-Mann-Preis der DDR ausgezeichnet. Prosa: *Das Duell* 1951; *Der Schatten des Körpers des Kutschers* 1960; *Abschied von den Eltern* 1961; *Fluchtpunkt* 1962; *Das Gespräch der drei Gehenden* 1963; *Die Ästhetik des Widerstands* 3 Bde. 1975–81. Essays: *Rapporte* 1968; *Rapporte 2* 1971; *Notizbücher 1971–80*, 2 Bde. Stücke: *Nacht mit Gästen* 1963; *Marat/Sade* 1963; *Mockinpott* 1963; *Die Ermittlung* 1965; *Der Gesang vom Lusitanischen Popanz* 1966–67; *Viet Nam Diskurs* 1968; *Dramen in zwei Bänden* 1968; *Trotzki im Exil* 1970; *Hölderlin* 1971.

Peter Weiss' Marat-Drama wurde nach seiner Uraufführung in Berlin zu einem der größten internationalen Theatererfolge der letzten Jahre. Bis Ende April 1964 wurde das Stück von über 30 Theatern in 22 Ländern der Welt zur Aufführung angenommen. Buchausgaben des Stückes erschienen in 14 Sprachen.

Peter Weiss hat seine Leser mit jedem neuen Buch in Erstaunen gesetzt, hat scheinbar in jedem neuen Buch einen neuen Stil entwickelt. Eine Überraschung ist auch sein neues Theaterstück, das sich eng an historische Fakten hält, auf authentisches Material sich gründet und doch von einem historischen Stück so weit wie nur irgend möglich entfernt ist. Leben und Tod Jean Paul Marats werden als Spiel im Spiel, als Theater im Theater, dreizehn Jahre nach seinem Tode im Irrenhaus von Charenton dargestellt. Regie führt der Marquis de Sade. – Das Stück wurde am 29. April 1964 unter der Regie von Konrad Swinarskis am Berliner Schillertheater uraufgeführt.

»Weiss betreibt das Spiel im Spiel mit bestürzender Radikalität, die dieser Form ganz neue Kraft abgewinnt, er öffnet sie für ganz neue ›Inhalte‹, für eine eminent ›politische‹, in solcher Konsequenz auf dem deutschen Theater seit langem nicht durchformulierte Aussage.« *Theater heute*

Personen

MARQUIS DE SADE

achtundsechzig Jahre alt, außerordentlich beleibt, das Haar ergraut, das Gesicht noch glatt. Er bewegt sich schwerfällig, atmet zuweilen mühsam und asthmatisch.
Seine Kleidung ist vornehm, doch verkommen. Er trägt Kniehosen mit Schleifen, ein weitärmeliges Hemd mit Brustlatz und Spitzenmanschetten, sowie Schnallenschuhe.

JEAN PAUL MARAT

neunundvierzig Jahre alt, an Paranoia leidend. Er ist in ein weißes Tuch gehüllt und trägt eine weiße Binde um die Stirn.

SIMONNE EVRARD

Marats Lebensgefährtin, von unbestimmtem Alter. Die Darstellerin der Rolle trägt Anstaltskleidung, mit einer Schürze und einem Kopftuch. Ihre Bewegungen sind zwanghaft und verschroben. Wenn sie nichts zu tun hat, wringt sie ein Tuch in den Händen. Sie nimmt jede Gelegenheit wahr, Marats Kopftuch zu wechseln.

CHARLOTTE CORDAY

vierundzwanzig Jahre alt.
Ihre Kleidung besteht aus einem dünnen weißen Hemd vom Schnitt eines Directoire-Gewands. Das Hemd verbirgt die Brüste nicht, doch sie trägt ein leichtes weißes Tuch darüber. Zu ihren Auftritten wird ihr ein mit Schleifen verzierter Hut umgebunden.
Sie steht ständig unter der Obhut von zwei Schwestern, die sie stützen, kämmen und ihr die Kleider ordnen.
Ihre Bewegungen sind die einer Somnambulen.

DUPERRET

girondistischer Abgeordneter.
Der Darsteller der Rolle trägt zu seinem Anstaltshemd eine

kurze Weste und die glatten, eng anliegenden Hosen eines
»Incroyable«.
Er ist als Erotomane in der Anstalt interniert und nützt
seine Rolle als Liebhaber Cordays bei jeder passenden Gelegenheit zu seinem Vorteil aus.

JACQUES ROUX
ehemaliger Priester, radikaler Sozialist.
Er trägt ein weißes Anstaltshemd mit einem Überwurf vom
Schnitt einer Mönchskutte. Die Ärmel des Hemds sind vorn
über seinen Händen zusammengebunden. Er kann sich nur
in dieser Zwangsjacke bewegen.

DIE VIER SÄNGER
KOKOL *Baß*
POLPICH *Bariton*
CUCURUCU *Tenor*
ROSSIGNOL *Sopran*
repräsentieren den vierten Stand. Sie haben ihre Anstaltskleidung mit grotesken Kostümstücken versehen. Sie tragen
die Revolutionsmütze, Rossignol stellt mit Trikolorenbinde
und umgehängtem Säbel die »Marianne« dar.
Sie haben Singstimmen, können Possen reißen und Pantomime spielen.

PATIENTEN
als Nebenfiguren, Stimmen, Pantomimen und Chor. Sie treten je nach Gebrauch auf, entweder in ihrer weißen Anstaltskleidung oder in primitiver Kostümierung.
Diejenigen, die nicht zum Spiel benötigt werden, geben sich
ihren autistischen Übungen hin.
Einige von ihnen führen stereotype Bewegungen aus, drehen sich im Kreis, hüpfen, murmeln halblaut vor sich hin,
brechen in scheinbar unmotiviertes Lachen oder Schreien

8

aus, oder verharren während des ganzen Spiels in einem
Stupor. Andere lassen sich willenlos hierhin und dorthin
schieben. Es gibt aber auch ein paar, die die Handlung auf-
merksam betrachten und daran erinnern, daß in Charenton
nicht nur Geisteskranke interniert waren, sondern auch
Menschen, die der napoleonischen Gesellschaft aus politi-
schen Gründen unliebsam waren.

AUSRUFER
trägt über dem Anstaltshemd einen Harlekinkittel. Er hat
zahlreiche Instrumente umgehängt, mit denen er im Be-
darfsfall Lärm erzeugen kann.
In der Hand hält er einen Zeigestab.

FÜNF MUSIKANTEN
Insassen der Anstalt.
Sie spielen Harmonium, Laute, Flöte, Trompete und Trom-
mel.

PFLEGER
in Uniform, mit langen weißen Schürzen, die ihnen das
Aussehen von Schlächtern geben. In den Taschen der Schür-
zen haben sie Knüppel stecken.

SCHWESTERN
mit langen weißen Schürzen, gestärkten Kragen und weit
auslangenden weißen Hauben. Sie tragen Rosenkränze. Die
Schwestern werden von athletischen Männern gespielt.

COULMIER
Direktor der Anstalt, in eleganter Kleidung, mit Mantel
und Zylinder. Trägt einen Spazierstock. Er nimmt gern eine
napoleonische Haltung ein.

COULMIERS FRAU UND TOCHTER
Reich gekleidet.

Erster Akt

Läuten der Hospizglocke hinter der Bühne.

1 AUFMARSCH

*Die Bühne stellt den Badesaal der Heilanstalt dar, mit
dazugehörigen Einrichtungen, Bänke sind aufgestellt für die
Schauspieler, Schwestern und Pfleger.*
*Links vorn steht Marats Wanne mit einem darübergelegten
Schreibbrett. Rechts befindet sich Sades Stuhl. Der rechten
Bühnenseite zugehörig soll auch die Tribüne sein für Coul-
mier und dessen Familie.*
*Die Musiker haben ihren Standort sichtbar auf der Bühne.
Vorbereitungen zum Spiel werden abgeschlossen und alle
Mitwirkenden treten auf.*
Orchesterbegleitung.

2 PROLOG

COULMIER
 Als Direktor der Heilanstalt Charenton
 heiße ich Sie willkommen in diesem Salon
 Wir haben es dem hier ansässigen Herrn de Sade zu
  verdanken

daß er zu Ihrer Unterhaltung und zur Erbauung der
   Kranken
ein Drama ersonnen und instruiert
und es jetzt zur Aufführung ausprobiert
Wir bitten Sie uns Ihre Aufmerksamkeit zu gönnen
denn alle spielen so gut sie können
doch ihre einzige Bühnenerfahrung
erwarben sie hier in der Verwahrung
Als moderne und aufgeklärte Leute
sind wir dafür daß bei uns heute
die Patienten der Irrenanstalt
nicht mehr darben unter Gewalt
sondern sich in Bildung und Kunst betätigen
und somit die Grundsätze bestätigen
die wir einmal im feierlichen Dekret
der Menschenrechte für immer geprägt
Das Stück unter der Leitung des Herrn Alphonse de Sade
lassen wir stattfinden in unserm Bad
und hierbei sind uns nicht im Wege
die technischen Errungenschaften der Körperpflege
im Gegenteil sie bilden die Szenerie
zu Herrn de Sades Dramaturgie
denn in unserm Spiel geben wir Ihnen Kunde
von Jean Paul Marats letzter Stunde
die dieser wie bekannt in der Wanne verbrachte
während Charlotte Corday über ihn wachte

3 AUFSTELLUNG

Ausrufer gibt mit seinem Stab dem Orchester ein Zeichen.
Feierlicher Musikeinsatz.
Coulmier begibt sich mit seiner Familie zur Tribüne. Sade
geht zu seinem Stuhl.
Marat wird in die Wanne gesetzt. Simonne legt ihm Kopf-
binde und Schultertuch um.
Die Schwestern ordnen Cordays Kleidung.
Die gesamte Gruppe nimmt die Haltung eines heroischen
Tableaus ein.
Die Musik zu Ende.

4 PRÄSENTATION

AUSRUFER
klopft dreimal mit dem Stab auf den Boden

Marat erkennen Sie in diesem Manne
der bereits Platz genommen hat in der Wanne

zeigt mit dem Stab auf ihn

er befindet sich in seinem fünfzigsten Jahr
und trägt eine Binde um das Haar

zeigt darauf

Seine Haut ist flammig und gelb

zeigt auf seinen Hals

weil von einem Ausschlag entstellt
Das kühle Wasser in dem er sitzt

zeigt in die Wanne

lindert das Fieber das ihn erhitzt

Marat ergreift die Feder und beginnt, zu schreiben.

zur Ausführung der Rolle haben wir einen erwählt
der zu jenen an Paranoia leidenden Patienten zählt
mit denen wir in unsrer Hydrotherapie
Erfolge erzielen wie sonst noch nie
Die Dame die sich über ihn beugt

*zeigt auf Simonne, die sich über ihn beugt, ihm die Kopf-
binde löst und ihm eine neue umlegt*

und deren Berührung er nicht scheut
ist nicht die Corday sondern Simonne Evrard
mit der er zu Lebzeiten verehelicht war
und zwar nicht nach einer Zeremonie unter kirchlichem
    Gebimmel
sondern auf Grund eines Gelöbnisses unter offenem
    Himmel
Hier sehn Sie die Corday in unsrer Fabel

*zeigt auf Corday, die ihr Kleid zurechtstreicht und ihr
Brusttuch befestigt*

sie stammt aus Caen und ist von ländlichem Adel
sie ist hübsch gekleidet und trägt modische Schuh

zeigt auf die Schuhe

und bindet sich gerade das Brusttuch zu

zeigt darauf

Sie ist nach unserer und der Geschichtsschreiber Meinung
eine in die Augen fallende Erscheinung

sie richtet sich auf

Doch da die Darstellerin hier in unsrer Institution
an Schlafsucht leidet und Depression

Corday neigt das Gesicht mit geschlossenen Augen weit zu-
rück.

ist all unsre Hoffnung darauf gestellt

nachdrücklich, an Corday gewandt

daß sie ihre Aufgabe im Sinn behält

zeigt auf Duperret

Mit seidener Hose und gepuderter Perücke
sehn Sie Herrn Duperret in unserm Stücke
Wenn er auftritt bringt er immer einen vornehmen Ton
in die Wirrnisse der Revolution
Er steht als Mitglied der Girondisten
natürlich auf Marats schwarzen Listen
ist aber sonst frohen Mutes
und will in seinem Herzen nur Gutes

Duperret macht sich mit einer verstohlenen Liebkosung an
Corday heran. Ausrufer schlägt ihm zurechtweisend mit
dem Stab auf die Hand.
Eine Schwester zieht Duperret zurück.

Interniert von wegen politischer Radikalität

zeigt auf Roux, der seine Ellbogen seitwärts vorschiebt und
das Gesicht hebt

ist der Mönch der dort im Hintergrund steht
Er spielt die Rolle des Jacques Roux
und gehört zu Marats Revolution dazu
Leider hat die Zensur sehr viel
gestrichen von seinen Aussagen im Spiel
denn sie gingen in ihrem Ton zu weit
für die Ordnungsbewahrer in unserer Zeit

Roux reißt den Mund auf und stößt heftig mit den Ellboge
seitwärts aus.
Coulmier hebt drohend den Zeigefinger.

Verehrtes Publikum
Zusammengesetzt aus allen Ständen

weist über das Publikum

ist auch das Ensemble in diesen Wänden

zeigt auf die Schauspieler

das sehn Sie zum Beispiel an diesen Vieren

zeigt auf die vier Sänger

die wir hier in der Anstalt auskurieren
Spelunken und Landstraßen bilden nicht länger
den Hintergrund für unsre vortrefflichen Sänger

zeigt auf jeden einzeln

Cucurucu Polpoch und Kokol
und die ehemals käufliche Rossignol

Jeder der Genannten ändert seine Haltung mit einer ein
studierten grüßenden Bewegung, wie sie in Jahrmarktsbu
den üblich ist. Rossignol knickst.

Betrachten wir jetzt diesen etwas beleibten Herrn

zeigt auf Sade, der dem Publikum gelangweilt den Rücken
zudreht

der unter eines anrüchigen Ruhmes Stern
seit fünf Jahren in unsrer Anstalt weilt
von zahlreichen Verfolgungen und Prüfungen ereilt
so sehn wir in ihm Herrn de Sade ehemals Marquis
der dies Spiel ersonnen mit unübertroffnem Genie
Autor von Werken die verkannt und verbrannt
und um derentwillen man ihn Jahrzehnte verbannt
Nach dieser kurzen Introduktion
ist schon im Gang unsere Produktion
und Sie sehen heute am dreizehnten Juli
    achtzehnhundert und acht
wie vor fünfzehn Jahren die immerwährende Nacht
für jenen dort in der Wanne begann

zeigt auf Marat

als ihm das Blut aus der Schnittwunde rann

zeigt auf Marats Brust

die diese da nachdem sie es wohl bedachte

zeigt auf Corday

ihm mit einem eingekauften Dolch beibrachte

Musikeinsatz.
Corday wird von den Schwestern zur Ruhe auf ihre Bank
gelegt. Simonne setzt sich hinter Marats Wanne. Sade nimmt
auf seinem Stuhl Platz. Roux und Duperret ziehen sich zu
einer Bank zurück. Die vier Sänger stellen sich zur Huldi-
gung Marats auf.

KOKOL UND POLPOCH
Rezitativ

Vier Jahre waren damals vergangen
seitdem unsre Revolution angefangen
seitdem wir den goldenen Hm Hm gestürzt
und viele um einen Kopf verkürzt

CHOR
im Hintergrund
Gesang

An die Laterne die Aristokraten
raus aus der Kirche mit den Prälaten

CUCURUCU UND ROSSIGNOL
Rezitativ

Und wie wir heute gedenken des Krieges
gedachte jener des ersten großen Sieges

zeigen auf Marat

damals am Vorabend zur Feier der Revolution
später zum Ende geführt durch Kaiser Napoleon

CHOR
im Hintergrund
Gesang

Hängt sie auf die Generäle
Die Spekulanten an die Pfähle

ROUX
Es lebe die Revolution

Die vier Sänger und andere Patienten stellen sich zu einer
Apotheose um die Wanne auf. Ein Blätterkranz wird empor-
gehoben.

PATIENT
im Hintergrund

Marat wir wollen unser Grab nicht graben

PATIENT
im Hintergrund

Marat wir wollen zu fressen haben

PATIENT
im Hintergrund

Marat wir wollen keine Tüten kleben

ALLE PATIENTEN
Marat wir wollen im Wohlstand leben

KOKOL
zum Kranz weisend

Wir krönen dich mit diesen Blättern Marat
in Ermangelung des Lorbeers
der für die Dickschädel der Akademisten
Heerführer und Prinzen
verbraucht wurde

Der Kranz wird Marat auf das Haupt gesetzt, er wird aus
der Wanne gehoben und auf den Schultern von zwei Patien-
ten getragen.

CHOR
Hoch Marat

auf dich wolln wir bauen
du bist der einzige dem wir vertrauen

Marat wird rings um die Spielfläche getragen. Simonne geht neben Marat her, ängstlich zu ihm aufblickend. Die Patienten im Zug vollführen einstudierte Gebärden der Huldigung.

ROSSIGNOL
naiv, das Spiel ernst nehmend

Väterchen Marat wie hast du dich zerkratzt
paß auf daß du unsre Revolution nicht verpatzt

KOKOL UND POLPOCH
Gesang

Marat seit vier Jahren unverzagt
Verräter aufspürend von Verrätern gejagt
Marat vor Gericht und Marat in Verstecken
mit Steckbriefen gesucht an allen Ecken

CUCURUCU UND ROSSIGNOL

Weiterkämpfend gegen die Höflinge und Pfaffen
die Geldsäcke und militärischen Affen
immer wieder da um den Schmus aufzudecken
von denen die der alten Ordnung den Hintern lecken

KOKOL UND POLPOCH

Während unsre Vorkämpfer unsre neuen Herrn
einander überall den Weg versperrn
Während sie einander bescheißen
und ins Loch und unters Beil schmeißen

CUCURUCU UND ROSSIGNOL

Und von den Rechten reden die wir uns längst selbst
holten

damals als wir die ganze Bande versohlten
und die sogenannte uneinnehmbare Zitadelle
zerpulverten in großer Schnelle

DIE VIER SÄNGER UND CHOR

Marat was ist aus unserer Revolution geworden
Marat wir wolln nicht mehr warten bis morgen
Marat wir sind immer noch arme Leute
und die versprochenen Änderungen wollen wir heute

*Marat wird feierlich in die Wanne zurückgesetzt. Der Kranz
wird von seinem Kopf gehoben. Simonne wechselt ihm be-
flissen das Kopftuch und rückt das Tuch zurecht, das um
seine Schultern liegt. Musik zu Ende.*
*Sade sitzt unbeweglich und überblickt die Bühne mit einem
spöttischen Gesichtsausdruck.*

6 ERSTICKTE UNRUHE

ROSSIGNOL

Jetzt sind die nächsten dran unser Blut zu saugen
Papierfetzen werfen sie uns hin
die Geld vorstellen solln
und nur zum Arschabwischen taugen

PATIENT

Von allen Rechten haben wir nur das Recht zu
verhungern

PATIENT

Unsre einzige Arbeit ist das Herumlungern

PATIENT

In Brüderlichkeit können wir verlausen und
   verdrecken

PATIENT

In Gleichheit dürfen wir hier verrecken

Coulmier springt von seinem Stuhl auf.

ROUX

im Mittelgrund der Bühne

Wer beherrscht die Markthallen
Wer hält die Speicher verschlossen
Wer hat die Reichtümer aus den Schlössern ergattert
Wer sitzt auf den Ländereien
die an uns verteilt werden sollten

Coulmier sieht sich um. Eine Schwester zieht Roux zurück.

PATIENTEN

*im Hintergrund, den Takt schlagend, nach vorheriger Ver-
einbarung sprechend*

Wer hält uns zu Unrecht gefangen wer sperrt uns ein
Wir sind gesund und wollen in Freiheit sein

Unruhe kommt auf.

COULMIER

klopft mit dem Stock auf den Boden

Herr de Sade

Sade reagiert nicht auf die Anrede.

ich sehe ich muß hier die Stimme der Vernunft
   vertreten

Wie soll denn das werden wenn wir schon am Anfang
    des Stückes
soviel Unruhe aufkommen lassen
Ich muß doch um etwas Besänftigung bitten
Schließlich sind heute andere Zeiten als damals
und wir sollten uns bemühen
die längst überwundenen Mißstände
in einem etwas verklärten Schimmer zu sehen

Die Patienten werden von den Pflegern zurückgedrängt.
Ein paar Schwestern stellen sich vor den Patienten auf und
singen eine Litanei zur Beruhigung.

7   CORDAY STELLT SICH VOR

Im Mittelgrund wird Corday, die zusammengesunken auf
der Bank sitzt, von den Schwestern zum Auftritt herge-
richtet.

AUSRUFER
Sie sehen Marat einen Mann aus dem Volke
in seines Fiebers und Traumes Wolke
Sie sehn seine Hand um die Schreibfeder geballt
und das Geschrei von der Gasse ist eben verhallt
Sie sehn seinen Blick auf die Karte Frankreichs
    gerichtet

zeigt auf die Landkarte, die Marat aufgerollt hat

während Sie darauf warten

wendet sich um.
Im Hintergrund setzt ein Flüstern ein, das sich immer mehr
verbreitet.

CHOR
flüstert

Corday Corday

AUSRUFER

Während Sie darauf warten
daß diese dort ihn vernichtet

zeigt mit dem Stab auf Corday.
Das Orchester intoniert das Corday-Thema.
Pause.
Ausrufer wartet, daß die Schwestern mit ihren Vorbereitun-
gen fertig werden.

Und niemand von uns
und niemand von uns

Corday wird von den Schwestern nach vorn geleitet.

und niemand von uns kann was dafür
daß sie schon bereitsteht vor seiner Tür

er klopft dreimal mit dem Stab auf den Boden. Corday
wird von den Schwestern aufgestellt. Dies gleicht einer
Ritualhandlung.
Die Musik zu Ende. Die Schwestern treten zurück.

CORDAY
schläfrig und zögernd

Armer Marat in deiner Wanne
verseucht von Gift

wach werdend

Gift sprühend aus dem Hinterhalt
die Leute vergiftend
aufwiegelnd zu Mord und Plünderung
Marat
ich bin gekommen
ich
Charlotte Corday aus Caen
wo jetzt eine Armee zur Befreiung gesammelt wird
ich komme als erste Marat

Sie sinkt wieder in sich zusammen.
Die Schwestern treten heran und führen sie ab.

8   ICH BIN DIE REVOLUTION

MARAT
tyrannisch

Simonne Simonne
gieß kaltes Wasser zu
gib mir ein neues Tuch um die Stirn
O dieses Jucken
dieses Jucken ist nicht zu ertragen

Simonne steht hinter ihm bereit und führt die erlernten
Handgriffe aus. Sie wechselt ihm das Kopftuch, fächelt ihn
mit dem Schultertuch und neigt einen Krug über die Wanne.

SIMONNE
Jean Paul kratz dich nicht so
du zerreißt dir die Haut

Laß das Schreiben Jean Paul
es bringt nichts Gutes ein

MARAT

Mein Aufruf
Mein Aufruf zum vierzehnten Juli
an die französische Nation

SIMONNE

Jean Paul du mußt dich schonen
das Wasser ist schon ganz rot

MARAT

Was ist eine Wanne voll Blut
gegen das Blut das noch fließen wird
Einmal dachten wir daß ein paar hundert Tote
    genügten
dann sahen wir daß tausende noch zu wenig waren
und heute sind sie nicht mehr zu zählen
dort überall
überall

richtet sich in der Wanne auf.
Die vier Sänger spielen Karten und strecken sich auf dem
Boden aus. Sie beachten Marat nicht.

Da da
hinter den Wänden
auf den Dächern
in den Kellern
Scheinheilige
Setzen sich unsere Mützen auf
und tragen das Wappen des Königs unterm Hemd
Sie halten mit uns

doch wenn draußen ein Laden geplündert wird
dann schreien sie
Lumpengesindel Proletenpack Kanaillen
Simonne Simonne
mein Kopf brennt
Ich kann nicht mehr atmen

Simonne
Das Geschrei ist drinnen in mir
Simonne
Ich bin die Revolution

Corday wird von den Schwestern wieder nach vorn geleitet.
Duperret folgt ihr.

9   ERSTER BESUCH DER CORDAY

AUSRUFER
klopft dreimal mit dem Stab auf den Boden und zeigt auf
Corday.
Simonne steht beschützend vor der Wanne.

Erster Besuch der Corday

Das Orchester intoniert das Corday-Thema.

CORDAY
Ich bin gekommen um den Bürger Marat zu sprechen
ich habe ihm wichtige Mitteilungen zu machen
über die Lage in meiner Stadt Caen
wo die Verschwörer sich versammelt haben

SIMONNE

Wir wünschen keine Besuche
wir wollen unsere Ruhe haben
Wer Marat etwas zu sagen hat
der soll ihm schreiben

CORDAY

Was ich ihm zu sagen habe kann ich nicht schreiben
Ich will vor ihm stehn und ihn ansehn

im Ton einer Liebeserklärung

ich will sein Zittern sehn
und den Schweiß auf seiner Stirn
und in seine Rippen will ich den Dolch treiben
den ich unter meinem Brusttuch verwahre

besessen

In beide Hände werde ich den Dolch nehmen
und ihn in seine Haut schlagen
und dann will ich hören

nähert sich Marats Wanne

was er mir zu antworten hat

*Sie steht unmittelbar vor der Wanne, zieht den Dolch hervor
und holt zum Schlag aus.
Simonne ist erstarrt.
Sade erhebt sich von seinem Platz.*

SADE

Noch nicht Corday
Dreimal kommst du an seine Tür

Corday hält inne, verbirgt den Dolch und geht dann ge-

schmeidig zu ihrer Bank zurück. Die Schwestern und Duper-
ret folgen ihr.

10   LIED UND PANTOMIME VON CORDAYS ANKUNFT IN PARIS

Zur Begleitung des Liedes treten Patienten als Pantomimen
auf. Mit einfachen Verkleidungen stellen sie Typen aus dem
Straßenleben dar. So tritt einer als »Incroyable«, als
»Merveilleuse« oder als Fähnchenschwinger auf, ein andrer
als Händler und Messerschmied, einer als Akrobat oder
Blumenverkäufer, ein paar andere als hüftenschwingende
Freudenmädchen. Corday stellt das Mädchen vom Land dar,
das zum ersten Mal in die Stadt kommt und alles voller
Verwunderung betrachtet.

KOKOL UND POLPOCH
zu Musikbegleitung singend

Charlotte Corday kam in unsre Stadt
sah aus allen Fenstern unsre Wimpel hängen
sie war nach der Reise noch etwas matt
hatte aber keine Zeit im Hotel zu pennen
Ging in der Morgensonne zum Palais Royal
wo einer ihr einen Messerschmied empfahl

CUCURUCU UND ROSSIGNOL

Sah in den Auslagen der Arkaden
Pasten Essenzen und Schminken in allen Farben
bekam Schutzmittel gegen Syphilis angeboten
und Einladungen und Aufforderungen nach allen
   Noten

Händler kamen mit Schächtelchen und Kännchen
mit Gummiträstern und Sicherheitsschwämmchen

KOKOL UND POLPOCH

Sie aber hörte auf keinen Pfiff
und ging geradewegs zum bezeichneten Laden
erstand dort einen Dolch mit weißem Griff
und der Verkäufer fragte zu wessen Schaden
Sie aber lächelte nur und bezahlte den Preis
von zwei Livres wie jeder weiß

*Die Pantomime des Messerkaufs wird ausgeführt. Corday
wählt ihren Dolch, nimmt ihn entgegen und bezahlt. Sie
verbirgt den Dolch unterm Brusttuch. Der Verkäufer schaut
ihr in den Busen und beschreibt eine Gebärde der Bewun-
derung.*

CUCURUCU UND ROSSIGNOL

Sie hörte die Vögel singen in den Tuilerien
und der Geruch der Blumen trieb zu ihr hin
und auch jetzt hielt sie nicht an vor den Parfümerien
sondern war bald wieder in den Gassen drin
wo der Geruch der Blumen sich mit dem Geruch des
    Bluts vermischte
und wo man in die Hände klatschte und zischte
beim Anblick der hochrädrigen Karren
voll von formidablen Narren

*Der Pantomimenzug wird mächtiger und entwickelt sich zu
einem Totentanz.*
Die Musik unterstreicht den eintönigen Rhythmus.
*Zwei Patienten, von einem Tuch überdeckt, stellen ein Pferd
dar. Sie ziehen einen Karren, in dem Verurteilte in Hemden
stehen. Ein Priester gibt ihnen die letzte Weihe. Die Patienten die den Karren begleiten drehen sich verzückt und ver-*

krümmt, tanzen und schütteln sich. Einige werden von
Konvulsionen ergriffen und werfen sich in Krämpfen nie-
der. Ein gedämpftes Kichern und Stöhnen. Zur Musik das
Stampfen der Schritte.

CORDAY
zum Publikum gewandt.
Hinter ihr das Stampfen.

Was ist dies für eine Stadt
in der die Sonne kaum durch den Dunst dringt
und es ist kein Dunst von Regen und Nebel
es ist ein warmes dickes Dampfen
wie in Schlachthäusern
Was johlen sie so
was zerren sie da hinter sich her
was tragen sie da auf den Spießen
was hüpfen sie so was tanzen sie so
was ist das für ein Lachen das sie so schüttelt
was klatschen sie so in die Hände
was kreischen die Kinder
was sind das für Klumpen um die sie sich raufen
Was ist dies für eine Stadt
in der das nackte Fleisch auf den Straßen liegt
Was sind das für Gesichter

Hinter ihr findet der Totentanz statt. Die vier Sänger schlie-
ßen sich den Tanzenden an. Der Karren wird zur Richtstätte
verwandelt. Zwei Patienten stellen die Guillotine dar. Eine
Hinrichtung wird vorbereitet. Corday sitzt versunken am
vorderen Rand der Spielfläche.

CORDAY
Bald werden sie dicht um mich herum sein
die Gesichter

mit ihren Augen und ihren Mündern
und mich fordern

11 TRIUMPH DES TODES

Die Hinrichtung wird pantomimisch dargestellt.

MARAT
nach vorn sprechend

Was jetzt geschieht ist nicht aufzuhalten
was haben sie nicht alles ertragen
ehe sie Rache nehmen
Ihr seht jetzt nur diese Rache
und denkt nicht daran daß ihr sie dazu triebt
Jetzt jammert ihr als verspätete Gerechte
über das Blut das sie vergießen
doch was ist dieses Blut gegen das Blut
das sie für euch vergossen haben
in euern Raubzügen und Tretmühlen

Der erste Kopf ist gefallen.
Triumphierendes Geschrei.
Die nächste Hinrichtung beginnt.

Was sind die Opfer die jetzt gebracht werden
gegen die Opfer die sie brachten
um euch zu ernähren
Was sind ein paar geplünderte Häuser
gegen die Ausplünderung unter der sie verkamen

Euch rührt es nicht
wenn sie verderben vor den feindlichen Heeren
mit denen ihr im geheimen konspiriert
Ihr hofft daß ihre Niederlage zu eurem Sieg wird
und da würde sich nichts verziehn in euren edlen
    Gesichtern
die jetzt verzerrt sind von Abscheu und Empörung

COULMIER
steht auf.
Der Kopf fällt.
Geschrei.
Der Kopf wird wie ein Ball umhergeworfen.

Herr de Sade
so geht das nicht
das können wir nicht Erbauung nennen
daran können unsere Patienten nicht gesunden
im Gegenteil sie geraten in unnötige Erregung
Schließlich haben wir das Publikum hierhergebeten
um zu zeigen
daß wir nicht nur den Auswurf der Gesellschaft
hier beherbergen

Sade reagiert nicht auf die Anrede. Er blickt mit spöttischem
Lächeln über die Bühne.

AUSRUFER
klopft mit dem Stab in Coulmiers Worte hinein

Wir zeigen nur was sich in unserer Stadt
einmal ohne Zweifel abgespielt hat
So laßt es uns also in Ruhe betrachten
weil wir die Taten von damals verachten

Denn an Einsicht sind wir heute viel klüger
als jene deren Zeit für immer vorüber

zeigt mit dem Stab auf die Hinrichtungsszene. Langer
Trommelwirbel. Ein paar neue Opfer werden herangeführt.
Sie stehen zum Sterben bereit.

CORDAY
erhebt sich

So wie ihr da oben unbeweglich steht und weiter blickt
als die Augen eurer Henker reichen
so werde auch ich dort stehn
wenn alles vorbei ist

Sie schließt die Augen und scheint im Stehen zu schlafen.

SADE
Sieh sie dir an Marat
diese ehemaligen Besitzer aller irdischen Güter
wie sie ihre Niederlage noch zum Triumph machen
Jetzt da sie ihrer Genüsse beraubt sind
bewahrt das Schafott sie vor der unendlichen Langweile
Beglückt steigen sie auf das Gerüst
als erstiegen sie einen Thron
Ist das nicht die Höhe von Korruption

Die Opfer knien vor dem Richtblock nieder. Sade weist mit
einer Handbewegung die gesamte Gruppe zum Rückzug an.
Die Patienten ziehen sich zurück. Der Karren wird abge-
fahren. Corday wird zu ihrer Bank geführt.
Musikfinale.

Im Hintergrund tritt Ruhe ein.
Die Schwestern murmeln eine kurze Litanei.

MARAT
über die leere Spielfläche zu Sade sprechend

Ich las bei dir Sade
in einer deiner unsterblichen Schriften
das Prinzip alles Lebendigen sei der Tod

SADE

Und dieser Tod besteht nur in der Einbildung
nur wir stellen ihn uns vor
die Natur kennt ihn nicht
Jeder Tod auch der grausamste
ertrinkt in der völligen Gleichgültigkeit der Natur
Nur wir verleihen unserm Leben irgendeinen Wert
die Natur würde schweigend zusehn
rotteten wir unsere ganze Rasse aus
Ich hasse die Natur
ich will sie überwinden
ich will sie mit ihren eigenen Waffen schlagen
in ihren eigenen Fallen fangen

steht auf

Dieses reglose Zusehn dieses Gesicht aus Eis
Daß nichts sie erschüttern kann
daß sie alles erträgt
das spornt uns zu immer größeren Leistungen an

schwer atmend

Wie versuchten wir nicht seit jeher
ihren Grundsatz zu erfüllen
nach dem der Schwache dem Starken
auf Gnade und Ungnade ausgeliefert ist
Wie fielen wir nicht in allen Hierarchien über sie her
in immerwährender Infamie und Schadenfreude
Wie überwältigten wir nicht die falsche Tugend
mit unsrer gemeinsten Geschicklichkeit
Wie experimentierten wir nicht in unsern
    Laboratorien
ehe wir zur letzten Behandlung schritten
Laß mich erinnern an die Hinrichtung des Damiens
nach dessen mißglücktem Anschlag
auf den seligen fünfzehnten Louis
Wie milde ist unser Beil gegen die Folter
die er erdulden mußte
vier Stunden lang während das Volk sich daran
    ergötzte
und während Casanova oben hinter dem Fenster
seiner zuschauenden Dame unter die Röcke griff

mit einem Blick auf die Tribüne Coulmiers

Brust Arme und Schenkel wurden ihm aufgeschlitzt
geschmolzenes Blei wurde in die Wunden gegossen
überschüttet wurde er mit siedendem Öl brennendem
    Pech
Wachs und Schwefel
die Hand sengte man ihm mit Feuer ab
Taue befestigte man an seinen Gelenken
vier Pferde spannte man dran und trieb diese an
eine Stunde lang zerrten sie ungewohnt dieser Aufgabe

ohne ihn zu zerreißen
bis man ihm die Schultern ansägte und die Hüften
so verlor er den ersten Arm und dann den zweiten
und er sah zu was man mit ihm trieb und er wandte
    sich an uns
und machte sich uns verständlich mit seiner Stimme
und als sie ihm das erste Bein ausrissen und dann das
    zweite
lebte er immer noch doch seine Stimme war schwächer
    geworden
und schließlich hing er als blutiger Stumpf mit
wackelndem Kopf
und er stöhnte nur noch und starrte das Kruzifix an
das der Beichtvater ihm vorhielt

Im Hintergrund ertönt eine halblaut gemurmelte Litanei.

Das
war ein Volksfest
mit dem sich unsere heutigen Volksfeste nicht messen
    können
Unsere Inquisition macht uns schon keinen Spaß mehr
obgleich wir eben erst begonnen haben
Unsere Morde haben kein Feuer
weil sie zur täglichen Ordnung gehören
Ohne Leidenschaft verurteilen wir
kein schöner individueller Tod mehr
stellt sich uns dar
nur ein anonymes entwertetes Sterben
in das wir ganze Völker schicken könnten
in kalter Berechnung
bis es einmal soweit ist

alles Leben
aufzuheben

MARAT

Bürger Marquis
obgleich du in unsern Tribunalen sitzt
und beim Sturm im September dabei warst
spricht aus dir noch der alte Höhenmensch
und was du die Gleichgültigkeit der Natur nennst
ist deine eigene Apathie

SADE

Mitleid Marat
ist eine Eigenschaft der Privilegierten
Wenn der Mitleidige sich niederbeugt
um ein Almosen zu geben
so ist er voller Verachtung
er heuchelt Rührseligkeit zugunsten seines Reichtums
und mit seiner Gabe versetzt er dem Bettelnden
nur einen Tritt

Lautenakkord

Nein Marat
keine kleinlichen Gefühle
ich weiß es geht dir um anderes
Für dich wie für mich
gelten nur die äußersten Extreme

MARAT

Wenn es Extreme sind
dann sind es andere Extreme als deine
Gegen das Schweigen der Natur
stelle ich eine Tätigkeit

In der großen Gleichgültigkeit
erfinde ich einen Sinn
Anstatt reglos zuzusehn
greife ich ein
und ernenne gewisse Dinge für falsch
und arbeite daran sie zu verändern und zu verbessern
Es kommt drauf an
sich am eigenen Haar in die Höhe zu ziehn
sich selbst von innen nach außen zu stülpen
und alles mit neuen Augen zu sehn

13   MARATS LITURGIE

Die Patienten stehen zum Chor formiert.

MARAT

Wie hieß es doch lange
Die Monarchen seien gute Väter
unter deren Obhut wir friedlich lebten
und ihre Taten wurden uns von den gekauften Poeten
begeistert geschildert
Andächtig brachten die einfältigen Familienversorger
ihren Kindern die Lehren bei

CHOR
zu Marats Monolog

Die Monarchen sind gute Väter
unter deren Obhut wir friedlich leben

Die Monarchen sind gute Väter
unter deren Obhut wir friedlich leben

MARAT

Und die Kinder wiederholten die Lehren und glaubten
    daran
wie man daran glaubt
was man wieder und wieder hört
Und so hörte man auch die Priester sagen

begleitet vom Chor

In unsrer Barmherzigkeit umfassen wir alle Menschen
in gleicher Weise
wir sind an kein Land und an keine Regierung
    gebunden
wir sind zu einem einzigen Volk von Brüdern vereint

allein weitersprechend

Und die Priester sahen sich die Ungerechtigkeiten an
und sie schwiegen dazu und sagten

begleitet vom Chor

Unser Reich ist nicht von dieser Welt
diese Erde ist nur eine Stätte der Pilgerschaft
unser ist der Geist der Milde und der Geduld

allein weitersprechend

Und so zwangen sie den Unbemittelten
den letzten Spargroschen ab
und richteten es sich wohlig ein zwischen ihren
    Schätzen

und schmatzten und zechten mit den Fürsten
und zu den Hungernden sagten sie

begleitet vom Chor

Leidet
leidet wie jener dort am Kreuz
denn so will es Gott

*Ein Pantomimenzug tritt auf. Patienten und die vier Sänger
bewegen sich nach vorn. In Verkleidungen werden Würden-
träger der Kirche angedeutet. Cucurucu trägt ein aus Besen
zusammengebundenes Kreuz und zieht Polpoch an einem
Strick, der um dessen Hals liegt, hinter sich her. Kokol
schwenkt einen Eimer wie ein Weihfaß. Rossignol dreht
einen Rosenkranz.*
Allein weitersprechend

Und was man immer wieder und wieder hört
daran glaubt man
und so begnügten sich die Unbemittelten mit dem Bild
des Blutenden und Gemarterten und Festgenagelten
und sie beteten das Bild ihrer Hilflosigkeit an
und die Priester sagten

begleitet vom Chor.
Die Litaneien der Schwestern klingen dazu auf.

Erhebet die Hände gen Himmel
und ertraget schweigend das Leiden
und betet für eure Peiniger
denn Gebete und Segnungen seien eure einzigen
    Waffen
auf daß euch das Paradies zuteil werde

allein weitersprechend

Und so hielten sie sie zurück in ihrer Unwissenheit
daß sie sich nicht auflehnten gegen ihre Herren
die sie unterm Schein einer göttlichen Sendung
    regierten

CHOR
Amen

COULMIER
aufstehend und in das Amen hineinrufend

Herr de Sade
Gegen dieses Treiben muß ich mich wenden
wir einigten uns hier auf Streichung
Wie nimmt sich denn sowas heute aus
da unser Kaiser von kirchlichen Würdenträgern
    umgeben ist
und es sich immer aufs neue zeigt
wie sehr das Volk des priesterlichen Trostes bedarf
Von einer Unterdrückung kann überhaupt keine Rede
    sein
Im Gegenteil da wird alles getan um die Not zu
    lindern
mit Kleidereinsammlung Krankenhilfe und
    Suppenverteilung
und auch wir hier unterstehen nicht nur der Gnade
der weltlichen Regierung
sondern vor allem der Gunst und dem Verständnis
unsrer geistlichen Väter

AUSRUFER
hebt den Zeigestab hoch
Sollte jemand im Publikum sich getroffen fühlen
so bitten wir denselben seinen Ärger abzukühlen

und in Freundlichkeit zu bedenken
daß wir den Blick hier in die Vergangenheit lenken
in der alles anders war als heute
Heute sind wir natürlich gottesfürchtige Leute

schlägt ein Kreuzzeichen

14   BEDAUERLICHER ZWISCHENFALL

*Im Hintergrund wird ein Patient, der sich eine priesterliche
Halskrause umgelegt hat, von einem Anfall ergriffen und
hüpft auf den Knien nach vorn.*

PATIENT
überstürzt stammelnd

Betet betet
betet ihn an
Satan der du bist in der Hölle
dein Reich komme
dein Wille geschehe
wie in der Hölle also auch auf Erden
Vergib uns unsre Unschuld
erlöse uns von allem Guten
Führe uns
führe uns in Versuchung
in Ewigkeit
Amen

Coulmier ist aufgesprungen. Pfleger werfen sich über den

Patienten, binden ihn, schleppen ihn nach hinten ab. Er wird
unter eine Dusche gestellt.

AUSRUFER
schwingt die Holzrassel

Zwischenfälle dieser Art sind nicht zu vermeiden
sie gehören bei uns zum Bild der Leiden
Lassen Sie uns mit Ehrfurcht bedenken
daß jener den sie dort hinten zur Besinnung lenken
einmal als Prediger sehr bekannt
einem berühmten Kloster vorstand
Lassen Sie es als eine Erinnerung gelten
an die Undurchschaubarkeit himmlischer und irdischer
    Welten

schwingt die Rassel zum Abschluß.
Coulmier setzt sich.
Die Patienten ziehen sich zurück und strecken sich, von
Schwestern und Pflegern überwacht, auf den Bänken aus.

15   FORTSETZUNG DES GESPRÄCHS ZWISCHEN
      MARAT UND SADE

SADE
Um zu bestimmen was falsch ist und was recht ist
müssen wir uns kennen
Ich
kenne mich nicht
Wenn ich glaube etwas gefunden zu haben

so bezweifle ichs schon
und muß es wieder zerstören
Was wir tun ist nur ein Traumbild
von dem was wir tun wollen
und nie sind andere Wahrheiten zu finden
als die veränderlichen Wahrheiten der eigenen
Erfahrungen
Ich weiß nicht
bin ich der Henker oder der Gemarterte
Ich ersinne die ungeheuerlichsten Torturen
und wenn ich sie mir beschreibe
so erleide ich sie selbst
Ich bin fähig zu allem und alles füllt mich mit
    Schrecken
und so sehe ich auch wie andere sich plötzlich
bis zur Unkenntlichkeit entstellen
und getrieben werden zu unberechenbaren Handlungen
So sah ich kürzlich meinen Schneider
einen zarten musischen Mann der gern mit mir
    philosophierte
ich sah ihn mit Schaum vor dem Mund
rasend und schreiend mit einem Knüppel
auf einen Schweizer einschlagen und diesen
einen hünenhaften bewaffneten Mann
völlig zertrümmern
ich sah ihn dann
über dem offenen Brustkasten des Gefällten
sah ihn das Herz das noch pulsierte
herausreißen und verschlingen

schnell vorspringend

Ein irrsinniges Tier
ein irrsinniges Tier ist der Mensch
In meinem jahrtausendelangen Leben
war ich an Millionen von Morden beteiligt
Dick gedüngt
dick gedüngt ist überall die Erde
vom Brei der menschlichen Eingeweide
Wir wenige Lebende
wir wenige Lebende
gehen auf einem schwappenden Morast von Leichen
Überall unter unsern Füßen
bei jedem Schritt
unter uns verweste Gebeine Asche verfilztes Haar
ausgeschlagene Zähne gespaltene Schädel
Ein irrsinniges Tier
ein irrsinniges Tier bin ich

Sade ist auf ihn zugetreten und leitet ihn beschwichtigend
zum Hintergrund zurück, er schreit weiter

Kein Käfig hilft
keine Fesseln helfen
ich wühle mich doch hinaus
unter allen Mauern durch
durch die Jauche die Knochensplitter
ihr werdets noch sehn
es ist noch nicht zu Ende
ich hab meine Pläne

Marat sucht nach seinem Einsatz.

AUSRUFER
souffliert ihm

O dieses Jucken

MARAT

O dieses Jucken dieses Jucken

zögert

AUSRUFER
souffliert

Das Fieber

MARAT

Das Fieber saust mir im Kopf
in meiner Haut ist ein Brennen und Sieden
Simonne
Simonne tauch das Tuch in Essigwasser
Kühl meine Stirn

*Simonne tritt eilfertig heran und führt ihre Handhabungen
aus.*

SADE

Ich weiß
jetzt würdest du allen Ruhm und alle Volksgunst
    hingeben
für ein paar Tage Gesundsein
Du liegst in deiner Wanne
wie im rosigen Wasser der Gebärmutter
Zusammengekrümmt schwimmst du
allein mit deinen Vorstellungen von der Welt
die den Ereignissen draußen nicht mehr entsprechen

Du wolltest dich einmengen in die Wirklichkeit
und sie hat dich in die Enge gedrängt
Ich
habe es aufgegeben mich mit ihr zu befassen
mein Leben ist die Imagination
Die Revolution
interessiert mich nicht mehr

MARAT
Falsch Sade falsch
mit der Ruhlosigkeit der Gedanken
läßt sich keine Mauer durchbrechen
Mit der Schreibfeder kannst du keine Ordnungen
    umwerfen
Wie wir uns auch abmühen das Neue zu fassen
es entsteht doch erst
zwischen ungeschickten Handlungen
So verseucht sind wir von den Gedankengängen
die Generation von Generation übernahm
daß auch die besten von uns
sich immer noch nicht zu helfen wissen
Wir sind die Erfinder der Revolution
doch wir können noch nicht damit umgehn
Im Konvent sitzen immer noch Einzelne
jeder von seinem Ehrgeiz beseelt
und jeder will etwas von früher übernehmen
der eine ein schönes Bild
der andre seine Mätresse
der eine seine Mühlen
der andre seine Werften
der eine seine Armee

der andre seinen König
Und da stehen wir wieder
und hängen an die verbürgten Menschenrechte
das heilige Recht der Bereicherung
Und wir hören was daraus werden soll
In Freiheit und Gleichheit soll jeder kämpfen
brüderlich und mit ebenbürtigen Waffen
jeder sein eigener Krösus
Mann soll gegen Mann stehn und Gruppe gegen
    Gruppe
in einer fröhlichen wechselseitigen Ausbeutung

Patienten richten sich nach und nach auf, einige treten vor.
Die vier Sänger stellen sich zum Auftritt bereit.

Und sie sehen ein Blühen vor sich
ein Blühen des Handels ein Blühen der Industrie
einen einzigartigen Aufschwung
und während wir weiter als je
von unserm Ziel entfernt sind
ist in den Augen der andern

weist über den Zuschauerraum

die Revolution schon gewonnen

DIE VIER SÄNGER
mit Musikbegleitung

Und woher haben sie den Kies
und woher haben sie die Ellbogen
und woher haben sie die Beziehungen
und den Unternehmungsgeist
während wir nichts haben als Löcher

KOKOL
Zum Wohnen

POLPOCH
Im Bauch

ROSSIGNOL
Und in den Kleidern

DIE VIER SÄNGER UND CHOR
Marat
was ist aus u n s r e r Revolution geworden
Marat
wir wolln nicht mehr warten bis morgen
Marat
wir sind immer noch arme Leute
und die notwendigen Änderungen wollen wir heute

AUSRUFER
tritt vor, den Stab schwingend.
Musik zu Ende.
Die vier Sänger und der Chor ziehen sich zurück.

Wir bitten geehrtes Publikum
zu bedenken wie unüberlegt und dumm
das Volk immer wieder ins Unglück gerät
weil es von der Sachlage nichts versteht
Anstatt solch kopflose Ungeduld zu zeigen
sollte es in dieser schwierigen Zeit lieber schweigen
und für jene arbeiten und ihnen vertrauen
die aus eigner Kraft wieder was aufbauen
Genau wie Sie meine Damen und Herrn
sähen wir die Einigung sehr gern
die sich verwirklichen ließe ganz leicht
und die wir ja auch heute schon fast erreicht

Duperret und die Schwestern bemühen sich um Corday, die
nicht aufzuwecken ist. Sie ziehen sie hoch und stützen sie
und versuchen, sie in Bewegung zu versetzen.

17   ERSTES GESPRÄCH ZWISCHEN CORDAY UND DUPERRET

Corday wird von den beiden Schwestern nach vorn geleitet.
Sie stützen sie an den Armen, Duperret geht hinter ihnen
und stützt mit den Händen Cordays Rücken.

AUSRUFER
 bläst ein paar Läufe auf der Pansflöte
Um auch Anstand zu zeigen und hohe Gesinnung
traf der Verfasser jetzt die Bestimmung
der schönen und kühnen Charlotte Corday
wendet sich besorgt um, nickt erleichtert und weist mit dem
Stab auf Corday

hinzuzugesellen den Herrn Duperret

Corday wird vorne aufgestellt. Duperret tritt neben sie.
Die Schwestern stehen hinter ihr. Zeremonielle Begrüßung
zwischen Corday und Duperret.

In Caen wo sie die Jahre ihrer Jugend
in einem Kloster verbrachte voller Tugend
wurde ihr dieser Herr aufs beste empfohlen
daß sie sich sollte Rat und Trost bei ihm holen

Duperret benützt die Szene, um Corday liebkosend über den
Körper zu streichen.
Der Ausrufer zu Duperret

Nütz deine Rolle nicht aus
deine Liebe ist platonisch

Er gibt dem Orchester ein Zeichen mit dem Stab.
Corday steht mit zurückgeneigtem Kopf, die Augen geschlos-
sen. Das Orchester intoniert das Corday-Thema.
Der Ausrufer hält sich wachsam in ihrer Nähe auf.

CORDAY
mit geschlossenen Augen

Ach liebster Duperret

sie zögert, setzt wieder ein, im Stil einer Arie

ach liebster Duperret was können wir tun
um das Unheil zu verhindern

öffnet die Augen

Überall in den Straßen hören wir jetzt davon sprechen
Marat sollte ernannt werden

zögert. Duperret streicht ihr vorsichtig mit der Hand über
die Hüften und den Rücken.

Marat sollte ernannt werden zum Tribun und
    Diktator
Noch heuchelt er daß die Maßnahmen der Gewalt
nur von begrenzter Dauer wären
wir aber wissen
daß Auflösung und Gesetzlosigkeit sein Ziel ist

sinkt ermüdet in sich zusammen

DUPERRET

während er Corday umschlungen hält, im gleichen Arien-
stil, doch mit Feuer

Ach liebste Charlotte
kehre zurück in den Kreis deiner frommen
    Freundinnen
und führe ein Leben in Zurückgezogenheit und in
    Gebeten
denn du bist ihnen denen du hier begegnest
nicht gewachsen

Eine der bewachenden Schwestern tritt an Duperret heran
und zieht dessen Hand zurück, die sich in einer Liebkosung
an Cordays Busen gelegt hat. Corday steht versunken da.

Du sprichst von Marat
Doch wer ist Marat
irgendein hergelaufener Corsikaner Verzeihung
    Sardinier
oder gar Jude
Wer hört ihm schon zu
Nur das Gesindel auf den Gassen
Dieser Marat ist für uns nicht gefährlich

hält Corday wieder mit beiden Händen und drückt lieb-
kosend ihre Hüften.
Die vier Sänger vertreiben die Zeit mit allerlei Possen, sie
knobeln und zeigen einander Kartenkunststücke.

CORDAY
  plötzlich wach und kraftvoll

Liebster Duperret du willst mich nur prüfen
doch ich weiß was ich zu tun habe

versucht sich aus Duperrets Umarmung zu befreien.
Die beiden Schwestern greifen ein und ziehen Duperrets
Hände zurück.

Fahre du nach Caen
wo Barbaroux und Buzot dich brauchen
fahre noch heute und flieh
warte nicht auf den Abend
an dem es zu spät ist

DUPERRET
  leidenschaftlich, im Arienstil wie zuvor

Liebste Charlotte mein Platz ist hier

wirft sich aufs Knie vor ihr und umschlingt ihre Beine mit
den Armen

wie könnt ich die Stadt verlassen in der ich dich weiß
Liebste Charlotte
mein Platz ist hier

vergißt sich und wird stürmischer in der Umarmung. Der
Ausrufer stößt ihn mit dem Stab an und klopft dann mit
dem Stab auf den Boden.

AUSRUFER
souffliert

Und warum sollte ich fliehn

DUPERRET
Und warum sollte ich fliehn
jetzt da es nicht mehr lange dauern kann

streichelt Corday heftig

schon liegen die Engländer vor Dunkerque und
Toulon
die Preußen

AUSRUFER
verbessert

Die Spanier

DUPERRET
Die Spanier haben Roussillon besetzt
Paris

AUSRUFER
verbessert

Mainz

DUPERRET
Mainz ist von den Preußen umzingelt
Condé und Valenciennes von den Engländern

AUSRUFER
verbessert

Österreichern

DUPERRET

Österreichern erobert
die Vendée steht im Aufruhr

mit großem Feuer und heftigen Liebkosungen

Sie können sich nicht mehr lange halten
diese Emporkömmlinge und Fanatiker
die keinen Weitblick haben keine Kultur
Nein Charlotte ich bleibe hier

drängt sich nah an sie heran, legt seinen Kopf an ihren Schoß

und warte auf den Tag
an dem wir das Wort Freiheit
wieder aussprechen dürfen

erhebt sich, indem er Corday umschlingt, versucht, sie zu küssen.
Corday entwindet sich ihm, die beiden Schwestern kommen zu Hilfe, stoßen Duperret unsanft zurück und leiten Corday zu ihrer Bank.
Die Musik zu Ende.

18   SADE PFEIFT AUF ALLE NATIONEN

SADE

von seinem Platz aus Marat zurufend

Hörst du Marat
wie sie alle Frankreichs Bestes wollen

Sie überbieten einander an Patriotismus
und mit und ohne Schönheitssinn sind sie bereit
sich für Frankreichs Ehre zu opfern
ob radikal oder gemäßigt
alle wollen sie Blut lecken

erhebt sich

wir nennens Gerechtigkeit wenn wir verurteilen und
    köpfen
die andern hoffen auf unsre innere Zersetzung
und sehen den Tag vor sich
an dem sie wieder noble talentierte Herren einsetzen
    dürfen
die höfisch verhandeln und die Fürsten Europas
aufatmen lassen können
Beide
die Lauen und die Zornigen
glauben an Frankreichs Größe
Marat
siehst du den Irrsinn dieser Vaterlandsliebe
ich sage dir
ich habe diesen Heroismus längst aufgegeben
ich pfeife auf diese Nation
so wie ich auf alle andern Nationen pfeife

Ein paar Pfiffe aus dem Hintergrund.

COULMIER
ruft dazwischen, mit gehobenem Zeigefinger

Gebt acht

PATIENT

im Hintergrund

Es lebe Napoleon und die Nation

Ein schrilles Gelächter im Hintergrund.

KOKOL

im Hintergrund rufend

Es leben alle Kaiser Könige Bischöfe und Päpste

Unruhe bricht im Hintergrund aus.

POLPOCH

Es lebe die Wassersuppe und die Zwangsjacke

ROSSIGNOL

Es lebe Marat

SADE

durch die Unruhe rufend

Ich pfeife auf diese Bewegungen von Massen
die im Kreis laufen

*Schrille Pfiffe im Hintergrund. Ein Patient beginnt, wild
im Kreis zu laufen, ein zweiter und dritter schließt sich
ihm an. Pfleger laufen ihnen nach.*

Ich pfeife auf alle guten Absichten
die sich nur in Sackgassen verlieren
ich pfeife auf alle Opfer
die für irgendeine Sache gebracht werden
Ich glaube nur an mich selbst

MARAT

sich heftig zu Sade wendend

Ich glaube nur an die Sache
die du verrätst

Wir haben ein Gesindel gestürzt das fett über uns
    thronte
viele haben wir unschädlich gemacht
viele sind entkommen
doch viele von denen die mit uns begannen
liebäugeln wieder mit dem alten Glanz
und es zeigt sich
daß es in der Revolution
um die Interessen von Händlern und Krämern ging
Die Bourgeoisie
eine neue siegreiche Klasse
und darunter der Vierte Stand
wie immer zu kurz gekommen

DIE VIER SÄNGER
von Musik begleitet

Jetzt saufen die neureichen Affen
aus den Fässern der Pfaffen
Uns steht der Dreck über den Ohren
sie packen Gold in die Tresoren
Und im Konvent die Deputierten
diese aufgeblasenen Studierten
haben nichts anderes im Sinn
als Ruhm und Weiber und Klimbim
Über ihrem Furzen und ihrem Fressen
haben sie uns längst vergessen
Nicht nur die ihrer Schlösser Entledigten
sondern wir sind die Geschädigten

ROUX
  im Hintergrund auf eine Bank springend

Greift zu den Waffen
kämpft um euer Recht
Wenn ihr euch jetzt nicht holt was ihr braucht
dann könnt ihr noch ein Jahrhundert lang warten
und zusehn
was die sich für einen Betrieb errichten

Patienten nähern sich Roux von allen Seiten.

Sie verachten euch
weil ihr es euch nie habt leisten können
lesen und schreiben zu lernen
Zur groben Arbeit der Revolution taugtet ihr ihnen
doch sie rümpfen die Nase über euch
weil euer Schweiß stinkt
Unten sollt ihr sitzen
weit weg von ihnen
daß sie euch nicht zu sehen brauchen
da könnt ihr mittun
in eurer Unbildung und in eurem Gestank
daß sich das neue Zeitalter entfalte
Und wieder taugt ihr ihnen zur gröbsten Arbeit
während oben ihre Dichter
von gewaltigen Lebensströmungen sprechen
und während ihre Machenschaften
verbrämt werden von hochentwickelter Kunst
und verfeinertem Luxus

Erhebt euch
stellt euch vor sie hin
zeigt ihnen
wie viele ihr seid

*Zwei Schwestern packen Roux von hinten und ziehen ihn
von der Bank herunter.*

COULMIER
springt auf

Sollen wir uns so was mit anhören
wir Bürger eines neuen Zeitalters
wir die den Aufschwung wollen

COULMIERS FRAU
Das ist Untergrabung
das können wir doch nicht zulassen

AUSRUFER
einen schrillen Pfiff ausstoßend

Sie hörten den Priester Jacques Roux
der erkennt eine neue Religion im Nu
der vertauscht die Kanzel mit der Gasse
und wettert da in seinem seelsorgenden Hasse
Als Prediger sind ihm gute Wendungen bekannt
und er hat seine Zuhörer ganz in der Hand
Er verändert die himmlischen Gefilde
schnell zu einem irdischen Bilde
Hier soll das Paradies sein und hier sollen sie wandeln
und nach ungeahnt neuen Ordnungen handeln
nur weiß er noch nicht wie er diese erreicht
denn Handeln ist schwer und Reden ist leicht

So macht er sich erstmal zum Propheten
angesichts dieser geschundenen Proleten
und stellt ihnen Marat als Heiligen hin
denn das verspricht schon einen Gewinn
weil dieser wie ein Gekreuzigter ist

zeigt auf Marat

und daran erbaut sich jeder Christ

Coulmier nickt erleichtert und setzt sich.
Die Patienten werden zurückgetrieben.

SADE

So wie du da liegst
zerkratzt und verschwollen
in der Wanne die deine Welt ist
glaubst du immer noch daß Gerechtigkeit möglich ist
daß alle gleich viel verwalten können
Heute malt ihr den einen schwarz und enteignet ihn
und verteilt den Besitz an andre
die damit schieben um ihn zu vermehren
genau wie ihre Vorgänger
und durch die Stockungen im großen Geschäft
und den Ausfall der phantasievollen Produktionen
wird Millionen wieder das Brot genommen
Glaubst du immer noch daß alle auf allen Plätzen
das gleiche leisten
daß niemand sich an andern messen wollte
Wie heißt es doch im Lied

begleitet von der Laute und von der Pantomime der vier
Sänger, in der dargestellt wird, daß alles was Sade nennt,
nur dem zugute kommt, der es sich kaufen kann

62

Der eine ist bekannt als Bäcker der besten Kuchen
der andre ist ein Künstler im Lockendrehn
der eine ist ein Schnapsbrenner von besonderem Ruhm
und wer wollte es diesem Diamantenschleifer gleichtun
Dieser hier massiert dir geschickter als andre die
    Knochen
jener weiß die raffiniertesten Speisen zu kochen
Hier züchtet dir einer die seltensten Rosen
da schneidert dir einer die perfektesten Hosen
Der eine schwingt am besten das Beil
und diese hat den beglückendsten Körperteil

Pause

Glaubst du du würdest sie glücklich machen
wenn jeder nur halbwegs gehen dürfe
und mit der Nase immer nur an die Gleichheit stieße
Glaubst du es gäbe ein Fortschreiten
wenn jeder nur ein kleines Glied wäre
in einer großen Kette
glaubst du immer noch daß es möglich ist
die Menschen zu einen
da du doch siehst wie schon die wenigen
die um der Eintracht willen begannen
sich in den Haaren liegen
und über Bagatellen
zu Todfeinden werden

MARAT
richtet sich auf

Es geht nicht um Bagatellen
es geht um einen Grundsatz

und es gehört zum Lauf der Revolution
daß die Halbherzigen die Mitläufer
ausgestoßen werden müssen
Es gibt für uns nur ein Niederreißen bis zum Grunde
so schrecklich dies auch denen erscheint
die in ihrer satten Zufriedenheit sitzen
und sich in den Schutzmantel ihrer Moral hüllen
Hört nur
hört durch die Wände
wie sie flüstern und intrigieren
Seht
wie sie überall lauern
und auf ihre Chance warten

DIE VIER SÄNGER
einzeln zu Musikbegleitung

Was ist eigentlich los
Ich bin ein guter Franzos
und möcht doch gern wissen
wer mich beschissen
Es hieß doch mal
es sei aus mit der Qual
Wer kann uns jetzt sagen
was die da noch austragen
Der König ist weg
Die Pfaffen sind im Dreck
Die Noblen sind im Loch
Worauf warten wir noch

Roux springt nach vorn.

ROUX
Wir fordern
daß die Speicher zur Linderung der Not geöffnet
    werden
Wir fordern
daß alle Werkstätten und Fabriken in unsern Besitz
    übergehn

*Die Patienten und die vier Sänger begeben sich nach vorn
und umringen Roux.*

Wir fordern
daß in den Kirchen Schulen eingerichtet werden
so daß dort endlich einmal etwas Nützliches verbreitet
    wird

Coulmier fuchtelt mit den Händen und erhebt Einspruch.

Wir fordern eine sofortige Anstrengung aller
um den Krieg zum Ende zu bringen
diesen verfluchten Krieg
der der Preistreiberei zum Vorwand dient
der die Gier nach Eroberungen weckt

*Coulmier läuft von der Tribüne hinunter zu Sade, er spricht
auf Sade ein, doch dieser reagiert nicht.*

Wir fordern
daß diejenigen die den Krieg entfacht haben
unmittelbar alle Kosten dafür tragen

Ein für alle Mal
muß der Gedanke an große Kriege
und an eine glorreiche Armee
ausgelöscht werden
Auf beiden Seiten ist keiner glorreich
auf beiden Seiten stehn nur verhetzte Hosenscheißer
die alle das gleiche wollen
Nicht unter der Erde liegen sondern
auf der Erde gehn
ohne Holzbein

COULMIER
dazwischenrufend

Das ist Defaitismus

COULMIERS FRAU
Wir brauchen unsere Armee

COULMIER
sich heftig an Sade wendend

Diese Szene wurde gestrichen

SADE
ruft, ohne sich um Coulmiers Einspruch zu bekümmern

Bravo Jacques Roux
Deine mönchische Kleidung ist nach meinem Sinn
denn das ist jetzt das beste
immer bereit zu sein
sich im Sack zu verkriechen
aufzutauchen in günstigen Momenten
dann schnell wieder weg wenns sein muß

Deine Kutte Jacques Roux
ist ein gutes Mimikri

Roux wird von zwei Schwestern überwältigt und abge-
schleppt.
Duperret benutzt die Unruhe, Corday mit Liebkosungen
zu überschütten. Sie liegt passiv.
Patienten treten unruhig vor.

ROUX
während er auf einer Bank festgeschnallt wird

Marat
deine Zeit ist jetzt da
Marat zeige dich
sie warten auf dich
denn die Revolution
sie soll nur einen Augenblick währen
wie ein einschlagender Blitz
der alles verzehrt
in blendender Helle

Roux springt auf, die Bank an seinem Rücken festgeschnallt.
Er wird niedergeschlagen. Die Patienten werden zurück-
gedrängt.

21   SADE UNTER DER PEITSCHE

SADE
tritt langsam vor, er spricht, ohne sich um die Unruhe zu
bekümmern

Sie tragen dich eine Stunde lang einen Tag lang
dann lassen sie dich fallen
Marat
Heute brauchen sie dich denn du sollst für sie leiden
und die Urne mit deiner Asche stellen sie ins Panthéon
Morgen kommen sie und zerschlagen die Urne zu
    Scherben
dann wird gefragt
Marat wer war Marat
Marat
jetzt werde ich dir sagen
was ich von dieser Revolution halte
zu deren Heraufbeschwörung ich selbst beitrug

Im Hintergrund ist Stille eingetreten.

Damals als ich in der Bastille saß
waren meine Thesen schon aufgezeichnet
Ich hatte sie aus mir herausgeschunden
unter den Schlägen meiner Geißel
aus Haß gegen mich selbst
und die Begrenztheiten meines Denkens
In der Einkerkerung stiegen sie vor mir auf
die monströsen Vertreter einer untergehenden Klasse
deren Macht sich nur noch in einem Schauspiel
körperlicher Exzesse darstellte
Bis ins kleinste Detail rekonstruierte ich
den Mechanismus ihrer Gewalttaten
und dabei ließ ich alles zur Sprache kommen
was es in mir an Bosheit gab und an Brutalität
Es war weniger ein Angriff auf diese Ertrinkenden
die alles mit sich rissen was sie noch greifen konnten

als ein Angriff auf mich selbst
In einer Gesellschaft von Verbrechern
grub ich das Verbrecherische aus mir selbst hervor
um es zu erforschen und damit die Zeit zu erforschen
in der ich lebte
Die Schändungen und Peinigungen
die ich meine erdachten Giganten ausführen ließ
führte ich selbst aus
und so ließ ich mich auch selbst binden und bearbeiten
und schon möchte ich sie mir vornehmen
diese Schöne dort

zeigt auf Corday, die nach vorn geführt wird

die da so erwartungsvoll steht
und ihr die Riemen in die Hand drücken
daß sie mich schlägt
während ich zu dir von der Revolution spreche

*Corday wird von den Schwestern aufgestellt. Sade reicht
ihr eine Peitsche. Er reißt sich das Hemd ab und bietet ihr
seinen Rücken dar. Er steht nach vorn gewandt. Corday
steht hinter ihm. Patienten treten langsam aus dem Hintergrund vor. Die Damen auf Coulmiers Tribüne stehen erwartungsvoll auf.*

Zunächst sah ich in der Revolution die Möglichkeit
zu einem ungeheuren Auswuchs an Rache
zu einer Orgie die alle früheren Träume übertraf

*Corday holt langsam zu einem Schlag aus und läßt die
Peitsche niederfahren. Sade krümmt sich zusammen.*

dann aber sah ich
als ich selbst zu Gericht saß

Peitschenhieb.
Er schnauft

nicht wie sonst als Angeklagter
sondern als Richtender
daß ich es nicht über mich bringen konnte
die Eingefangenen dem Henker zu überliefern

Peitschenhieb.

Ich tat alles um sie freizusprechen oder entkommen zu
    lassen
Ich sah daß ich nicht fähig war zum Mord

Peitschenhieb.
Er stöhnt asthmatisch

obgleich dies doch die letzte Tat war
mit der der Beweis meines Daseins erbracht werden
    konnte
und jetzt

Peitschenhieb.
Er stöhnt auf

vor der Möglichkeit
würgte mich Übelkeit

Corday hält inne und steht selbst schwer atmend da.

Im September bei den Säuberungsaktionen
im Karmeliterkloster
mußte ich mich im Hof plötzlich zusammenkrümmen
und erbrechen

er läßt sich auf die Knie nieder

als ich sah wie meine Prophezeiungen sich verwirklichten

Corday steht breitbeinig über ihm.

und wie Weiber gelaufen kamen
in den blutigen Händen
die abgeschnittenen Geschlechtswerkzeuge von Männern

Peitschenhieb.
Sade wirft sich vornüber

Und dann in den folgenden Monaten

behindert vom Asthma

als die Karren mit ihrer Ladung regelmäßig zum
    Richtplatz fuhren
und das Beil fiel und hochgezurrt wurde und wieder fiel

Peitschenhieb.

da war dieser Vergeltung schon jeder Sinn genommen
es war eine mechanische Vergeltung

Peitschenhieb. Sade krümmt sich zusammen. Corday steht
hochaufgerichtet.

ausgeführt in einer stumpfen Unmenschlichkeit
in einer eigentümlichen Technokratie

Peitschenhieb.

und jetzt Marat

Peitschenhieb.
Sade atmet schwer

jetzt sehe ich
wohin sie führt

diese Revolution

Corday steht atemlos mit der Peitsche über Sade. Die beiden
Schwestern treten vor und ziehen sie zurück. Sie läßt sich
abführen, die Peitsche hinter sich herschleifend. Sade spricht,
auf den Knien liegend, weiter

zu einem Versiechen des einzelnen
zu einem langsamen Aufgehen in Gleichförmigkeit
zu einem Absterben des Urteilsvermögens
zu einer Selbstverleugnung
zu einer tödlichen Schwäche
unter einem Staat
dessen Gebilde unendlich weit
von jedem einzelnen entfernt ist
und nicht mehr anzugreifen ist
Ich kehre mich deshalb ab
ich gehöre niemandem mehr an
Wenn ich zum Untergang verurteilt bin
so will ich dem Untergang abgewinnen
was ich ihm aus eigener Kraft abgewinnen kann
Ich trete aus
aus meiner Sektion
Ich sehe nur noch zu
ohne einzugreifen
beobachtend
das Beobachtete festhaltend
und es umgibt mich
die Stille

hält schwer atmend inne

Und wenn ich verschwinde

möchte ich alle Spuren
hinter mir auslöschen

ergreift sein Hemd und geht langsam zu seinem Stuhl zu-
rück, während er sich ankleidet.

22   ARMER MARAT VERFOLGT UND VERSCHRIEN

MARAT
vorgebeugt, zusammengesunken

Simonne Simonne

starrt wie erblindet

warum wird es so dunkel
Gib mir ein neues Tuch für die Stirn
leg mir ein neues Tuch um die Schultern
Ich weiß nicht
frier ich oder vergeh ich vor Hitze

Simonne steht schon bereit und beugt sich über ihn, legt ihm
die Hand auf die Stirn, wechselt ihm die Tücher, fächelt ihm
Kühlung zu.

Simonne
ruf Bas daß ich ihm den Aufruf diktiere
den Aufruf an die französische Nation

Simonne schüttelt entsetzt den Kopf und schlägt die Hand
vor den Mund.

Wo sind meine Papiere Simonne

ich hab sie doch eben noch gesehn
warum ist es so dunkel

schiebt ihm die Papiere, die auf dem Brett liegen, näher

Hier sind sie doch Jean Paul

MARAT
Wo ist die Tinte
Wo ist meine Feder

SIMONNE
zeigt auf das Schreibzeug

Hier liegt die Feder
Jean Paul
und hier steht das Tintenfaß
wie immer
Es war nur eine Wolke die vorbeizog
oder Rauch
Man verbrennt jetzt die Leichen

Das Orchester intoniert.
Die vier Sänger treten vor.

DIE VIER SÄNGER
singen

Armer Marat verfolgt und verschrien
immer wieder mußt du dich vor ihnen verziehn
die dir deine Presse zerschlagen
und dir den Druck deiner Schriften untersagen
Armer Marat an den wir glauben
immer weiterschreibend mit entzündeten Augen

bei rauchender Lampe in Verstecken
bis sie dich mit Spürhunden wieder entdecken
Und dein Haus umzingeln und deine Tür einrammen
und dich aufs neue unter die Erde verbannen
Armer Marat wir wolln an dich glauben
doch kann all deine gesammelte Weisheit noch taugen
Jetzt wo du da in der Wanne sitzt
und in Wundbrand und Atemnot schwitzt

Musikfinale.

23 ZWEITES GESPRÄCH ZWISCHEN CORDAY UND DUPERRET

*Die Schwestern und Duperret bemühen sich um Corday. Mit
vereinten Kräften heben sie sie hoch. Die Schwestern richten
ihre Kleidung her und befestigen ihren Hut.*
Die Patienten und Sänger treten zurück.
*Der Ausrufer tritt vor und klopft mit seinem Stab dreimal
auf den Boden.*

AUSRUFER
bläst ein paar Läufe auf der Pansflöte

Nachdem wir so viel Beschwerliches weckten
befassen wir uns einmal mit lichteren Aspekten
denn wenn auch einer fiebert und einer kriegt Hiebe
so besteht doch weiter die holde Liebe
es gibt nicht nur Trübsal und nicht nur Groll
nein auch von Edelmut ist das Leben voll
So laßt uns betrachten dies umschlungene Paar

Corday wird von den Schwestern nach vorn geleitet. Duperret hält den Arm um sie. Ausrufer zeigt mit dem Stab auf sie

sie mit ihrem Schwall von gepflegtem Haar

zeigt darauf

mit ihrem Gesicht von interessanter Blässe

zeigt darauf

mit den Augen verklärt von der Tränen Nässe
und den Lippen sinnlich geschwungen und zart

zeigt darauf

und dann diesen der mit Liebkosungen nicht spart

zeigt auf Duperret. Duperret hebt Cordays Fuß und küßt ihren Schuh, bedeckt dann ihr Bein mit Küssen. Corday stößt ihn zurück.

der in natürlicher Grazie sich bewegt

Duperret verliert, zurückgestoßen, die Balance und setzt sich ohne Grazie auf den Hintern, er erhebt sich jedoch gleich wieder und nimmt vor Corday eine komische Pose der Liebesbezeugung ein.
Corday wendet das Gesicht voller Verachtung ab.

während sein Herz in Leidenschaft schlägt

zeigt auf Duperrets Brust

Erfreun wir uns noch an ihrem verlangenden Blick
eh ihnen der Kopf fällt vom Genick

Orchester intoniert das Corday-Thema.
Corday sucht nach ihrem Einsatz.

AUSRUFER
souffliert

Einmal wird es sich verwirklichen

CORDAY
im Arienstil

Einmal wird es sich verwirklichen
daß der Mensch im Einklang lebt mit sich selbst
und mit seinesgleichen

Duperret bedeckt ihre Hand und ihren Arm mit Küssen.

DUPERRET
über ihr Haar streichend, im Arienstil singend

Einmal in einer Gesellschaftsordnung
in der jeder einzelne
obgleich er sich mit allen vereint

*die Hand unter Cordays Kleid schiebend.
Corday wehrt sich.*

nur sich selbst gehorcht
und seine Freiheit behält

*versucht, Corday auf den Mund zu küssen, Corday weicht
ihm aus.*

CORDAY

In der ein jeder über alle dasselbe Recht erwirbt
das man ihm über sich selbst gewährt

DUPERRET
Corday festhaltend und sie mit Liebkosungen überschüttend

Einmal
in einem Grundvertrag

in dem die natürlichen Ungleichheiten zwischen den
  Menschen

Corday biegt sich weit zurück und reißt sich los. Duperret
springt ihr nach, weitersingend

einer höheren Ordnung unterstellt werden

atemlos

so daß alle

Eine der Schwestern hält Corday auf und leitet sie zurück.
Corday wird zu einer heroischen Pose zurechtgestellt.

wenn auch verschieden an Körper und Geist
doch gleich sind
durch Übereinkunft und Recht

seufzt erleichtert auf. Auch Duperret nimmt eine dazu pas-
sende Pose ein, so daß sie ein angenehmes Schlußbild dar-
stellen.

24   DIESE LÜGEN DIE IM UMLAUF SIND

MARAT
  richtet sich hoch auf.
  Corday wird von den Schwestern zurückgeleitet.
  Duperret folgt ihr.

  Diese Lügen die im Umlauf sind über den idealen
    Staat

Als wären die Reichen je bereit
freiwillig ihre Besitztümer herauszugeben
Und wenn sie vom Druck der Verhältnisse gezwungen
    werden
hier und da nachzugeben
so tun sie es nur weil sie wissen
daß sie dabei auch wieder gewinnen können
Es heißt jetzt
Die Arbeiter hätten bald höhere Löhne zu erwarten
Warum
weil mit einer gesteigerten Produktion gerechnet wird
und folglich mit größerem Umsatz
der die Taschen der Unternehmer dick macht
Glaubt nicht
daß ihnen ohne Gewalt beizukommen ist

Hier und da treten Patienten langsam zum Mittelgrund vor,
bleiben dort lauschend stehen.
Corday liegt ausgestreckt auf der Estrade, Duperret beugt
sich über sie.

Laßt euch nicht täuschen
wenn unsre Revolution erstickt worden ist
und wenn es heißt
daß die Zustände sich jetzt gebessert haben
Auch wenn ihr die Not nicht mehr seht
weil die Not übertüncht ist
und wenn ihr Geld verdient
und euch was leisten könnt von dem
was die Industrien euch andrehn
und es euch scheint
euer Wohlstand stände vor der Tür

so ist das nur eine Erfindung von denen
die immer noch viel mehr haben als ihr

Patienten und die vier Sänger treten langsam nach vorn.

Glaubt ihnen nicht
wenn sie euch freundschaftlich auf die Schultern
    klopfen
und sagen die Unterschiede wären nicht mehr der
    Rede wert
und es bestände kein Anlaß mehr
zu Streitigkeiten

Coulmier blickt sich beunruhigt um.

denn dann sind sie ganz auf der Höhe

wendet sich dem Publikum zu

in ihren neuen Burgen aus Marmor und Stahl
von denen aus sie die Welt ausräubern
unter der Devise
sie verbreiteten Kultur

*Coulmier verläßt die Tribüne und eilt auf Sade zu. Er spricht
auf ihn ein. Sade reagiert nicht.*

Paßt auf
denn sobald es ihnen gefällt
schicken sie euch
daß ihr ihre Haufen verteidigt
in Kriege

Sade erhebt sich und besänftigt Coulmier.

deren Waffen in der rapiden Entwicklung
der gekauften Wissenschaft

immer schlagkräftiger werden
und euch in großen Mengen zerreißen

AUSRUFER

Schnell müssen wir hinzufügen
daß wir uns hier nur damit vergnügen
derartige Dinge auszusagen
die natürlich mit unsrer Zeit nichts zu tun haben
Sie meinen dann sollten wir lieber schweigen
wir wollen Ihnen aber nur zeigen
was vielleicht einmal geschehen könnte
wenn uns das Schicksal nicht jenen vergönnte
der aufräumte mit solchen Prophezeiungen
und beendete alle Entzweiungen
Alle wollen wir gerne verzichten
auf die eben genannten Zukunftsaussichten
und deshalb steht die Corday auch schon da
um das Reden zu verbieten diesem Marat

zeigt auf Corday, die inzwischen von den Schwestern her-
gerichtet und nach vorn geführt worden ist.
Coulmier kehrt beruhigt zu seinem Platz zurück.

25   ZWEITER BESUCH DER CORDAY

Corday hält die Hand wie zum Klopfen gehoben. Hinter
ihr stehen die Schwestern, bereit, sie zu stützen. Der Aus-
rufer gibt Corday ein Zeichen mit dem Stab, sie bewegt die
Hand als klopfe sie und der Ausrufer klopft dreimal mit
dem Stab auf den Boden.

CORDAY
leise

Ich bin gekommen
um diesen Brief zu übergeben

zieht einen Brief aus dem Brusttuch

in dem ich noch einmal bitte
bei Marat vorgelassen zu werden

zögert

Ich bin unglücklich
und habe deshalb ein Anrecht auf seine Hilfe

Corday streckt den Brief Simonne entgegen. Simonne ist verwirrt, geht einen Schritt auf Corday zu, kehrt dann zur Wanne zurück und beginnt, wieder Marats Kopftuch zu wechseln.

CORDAY
wiederholt laut

Ich habe ein Anrecht auf seine Hilfe

Sie stößt mit der Hand aus. Simonne zuckt nervös hin und her. Läuft dann zu Corday und reißt ihr den Brief aus der Hand.

MARAT

Wer war an der Tür Simonne

Simonne eilt wieder verwirrt einige Schritte zwischen Corday und Marat hin und her.

AUSRUFER
souffliert

Ein Mädchen aus Caen mit einem Brief
eine Bittstellerin

Corday steht jetzt zusammengesunken da. Duperret erhebt sich und legt von hinten den Arm um sie. Die beiden Schwestern kommen hinzu. Corday wird zu ihrer Bank zurückgeführt.

SIMONNE
verworren und erbost

Ich lasse niemanden herein
die bringen uns nur ins Unglück
Alle diese Leute mit ihren Krämpfen und Beschwerden
als hättest du nichts andres zu tun
als ihnen Advokat und Arzt und Beichtvater zu sein
in ihren mißglückten Geschäften
ihren Familienintrigen und Ehekonflikten

Simonne zerreißt den Brief, steckt die Papierstücke in ihre Schürze. Sie legt Marat ein frisches Tuch um die Schultern.

SADE
geht nach vorn und bleibt nah vor der Wanne stehen. Musikbegleitung

So ist es Marat
das ist für sie die Revolution
Sie haben Zahnschmerzen
und sollten sich den Zahn ziehen lassen
Die Suppe ist ihnen angebrannt
aufgeregt fordern sie eine bessere Suppe
Der einen ist ihr Mann zu kurz
sie will einen längeren haben
Einen drücken die Schuh
beim Nachbarn sieht er bequemere
Einem Poeten fallen keine Verse ein
verzweifelt sucht er nach neuen Gedanken

Ein Fischer taucht seit Stunden die Angel ins Wasser
warum beißt kein Fisch an
So kommen sie zur Revolution
und glauben die Revolution gebe ihnen alles
Einen Fisch
einen Schuh
ein Gedicht
einen neuen Mann
eine neue Frau
und sie stürmen alle Befestigungen
und dann stehn sie da
und alles ist wies früher war
die Suppe angebrannt
die Verse verpfuscht
der Partner im Bett
stinkend und verbraucht
und unser ganzes Heldentum
das uns hinab in die Kloaken trieb
können wir uns an den Hut stecken
wenn wir noch einen haben

Musik geht zu einem tragischen Anklang über.

DIE VIER SÄNGER
treten in Positur

Armer Marat ist nicht alles vergebens
was du studiert hast zeitlebens
Sind deine medizinischen Kenntnisse nicht verloren
jetzt wo es dir dröhnt und saust in den Ohren
Und ist all deine physikalische Wissenschaft
jetzt wo es drauf ankommt nicht verpaßt

Armer Marat in deinen Mauern
während die Feinde dich umlauern
Marat kennst du in deiner Enge
immer noch die großen Zusammenhänge
Marat bist du noch bei klaren Sinnen
da in deiner Wanne drinnen

Marat legt sich müde vornüber auf das Brett.

Kannst du uns die Welt noch erklären
jetzt wo die Fieber dich verzehren
Marat kannst du uns nennen
was wir im Dunkeln nicht mehr erkennen

Die Musik geht in ein dramatisches Grollen über.
Marat fiebert. Simonne befühlt seine Stirn, fächelt ihm Küh-
lung zu, wechselt sein Kopftuch.

26   MARATS GESICHTE

Der ganze Bühnenraum zittert und dröhnt. Die Pantomimen-
gruppe tritt mit dem Karren auf. Der Karren wird von
einem Mann und einer Frau gezogen, die Marats Eltern spie-
len. Die Figuren im Karren stellen Vertreter der Wissen-
schaft, des Militärs, der Kirchenmacht und der Neureichen
dar.
Die Figuren sind mit Orden behängt und mit primitiven
Insignien versehen. Ihre Kostümierung ist äußerst grotesk.

MARAT
richtet sich hoch auf

Sie kommen

paßt auf
Seht sie euch an
diese Galerie von Figuren
dieses Kabinett von Hohenpriestern Ordensträgern
und Falschmünzern
Paßt auf
sie sind schon dabei
ihr neues Reich zu bauen
Frankreich
werden sie rufen
und
Frankreichs Größe
und vor dieser Größe
werdet ihr klein sein und kriechen
Paßt auf
sie sind da
Ja
ich höre euch
ich sehe euch

Das große Gewitter setzt sich fort.

AUSRUFER
klopft mit dem Stab auf den Boden

Hören Sie jetzt meine Damen und Herrn
was diese dort nur allzu gern

weist auf die Gestalten

über jenen zu vermelden haben

zeigt auf Marat

eh wir ihn ein für alle Mal begraben
Zunächst den Schulmeister der lieblichen Stadt

zeigt auf den Pantomimen, der den Lehrer darstellt

in der jener das Licht der Welt erblickt hat

zeigt auf Marat

LEHRER
singt mit Fistelstimme

Schon als Kind hetzte dieser Marat
Gruppen seiner Gespielen
unter Geschrei aufeinander
Mit Holzschwertern schlugen sie sich
und es floß schon Blut

Schreie werden im Hintergrund ausgestoßen.

und man machte Gefangene
und band sie und folterte sie
und niemand wußte
worum es ging

AUSRUFER
zeigt auf die Figur, die die Mutter darstellt

So hören Sie was die uns jetzt nennt
die die Sache von innen her kennt
die ihn von Anfang an gerochen
weil er aus ihrem Schoß gekrochen

MUTTER
singt mit zeternder Stimme

Verweigerte die Nahrung

lag tagelang ohne zu sprechen
Ruten zerschlugen wir an ihm zu Spreu

sie lacht schrill. Gelächter kommt aus dem Hintergrund und
das Geräusch von Rutenschlägen.

in den Keller sperrten wir ihn
Nichts half
es war ihm nicht beizukommen
Oh

bricht wieder in Gelächter aus

VATER
vorspringend, mit sich überschlagender Stimme

Er biß zurück wenn ich ihn biß
er trat um sich wenn ich ihn aufhängen wollte
und wenn ich ihn anspuckte lag er stocksteif
und eiskalt

bricht in grölendes Gelächter aus

MARAT
Ja
ich sehe euch
verhaßter Vater verhaßte Mutter

Die beiden Figuren hocken sich nieder, immer noch vom
Gelächter geschüttelt. Sie schaukeln vor und zurück, als
säßen sie in einem Boot.

was ist das für ein Boot in dem ihr schaukelt
Ich sehe euch
ich höre euch
Was lacht ihr so schrecklich

Die beiden Figuren sitzen schaukelnd voreinander, ihr Ge-
lächter versiegt.

SIMONNE
an die Wanne tretend

Jean Paul du fieberst
laß das Schreiben Jean Paul
es bringt dich ins Verderben
Lieg still
du mußt dich schonen

MARAT

Ich fiebere nicht
ich seh jetzt deutlich
was das für Figuren waren
von Anfang an

LEHRER
vorspringend

Dieses Großmaul
rief im Alter von fünf Jahren
Was der Lehrer kann ka ka kann ich auch
und ich weiß noch mehr dazu
und mit Fünfzehn hab ich die Uni Uni Universitäten
    erobert
und alle Pro Pro Professoren ausgeschlagen
und mit Zwanzig liegen mir alle geistigen Kapa Kapa
    Kapazitäten
zu Füßen
Das rief er
so wahr ich so wahr ich so wahr ich hier stehe

schwingt den Rohrstock

MARAT

Simonne
wo sind meine alten Manuskripte
die Abenteuer des Potovsky
und die Polnischen Briefe
und meine Schrift über die Ketten der Sklaverei

SIMONNE
abwehrend

Laß doch das Zeug
es bringt dich nur ins Verderben

MARAT
richtet sich auf

Ich will sie sehn
suche sie
bring sie mir

LEHRER

Schreibereien eines Tagediebs
zusammengestohlene Gedanken
Floskeln und Tiraden

VERTRETER DES MILITÄRS

Das eine Buch herausgegeben unter dem Namen eines
    Grafen
das andre unter dem Namen eines Prinzen
Seht ihn euch an
den Scharlatan der nach Titeln
und höfischen Ehren strebte
und der nur weil man ihn nicht anerkannte
sich gegen die wandte die er umschmeichelt hatte

VERTRETER DER WISSENSCHAFT

Was tat er in England dieser dunkle Marat
war er nicht ein Dandy in der feinsten Gesellschaft
und mußte fliehn
weil man ihn bei Unterschlagungen und Diebstählen
    ertappte
Schmuggelte er sich nicht wieder ein in namhafte Kreise
gelang es ihm nicht zum Leibarzt zu werden
beim Grafen d'Artois
oder wars nur Pferdearzt
Sahn wir ihn nicht ein- und ausgehn bei den
    Aristokraten
Sechsunddreißig Livres nahm er für eine Konsultation
und geschenkt bekam er noch dazu die besondre Gunst
gewisser hochwohlgeborner Damen

Coulmiers Frau und Tochter klatschen Beifall.

NEUREICHER

Und als sie herausfanden
daß er nur ein Kurpfuscher war
der seine Medizinen aus Wasser und Kreide herstellte
und als sie ihn auf die Gasse hinauswarfen
auf der er zuhause war
da begann er zu schrein

Schreie im Hintergrund.

Besitz ist Diebstahl
und
Nieder mit den Tyrannen

Der Ruf wird im Hintergrund aufgenommen.

Eine Figur mit angedeuteter Voltaire-Maske tritt vor.

Es ist uns eine ganz besondere Ehr
Ihnen zu präsentieren den Herrn Voltaire

zeigt mit dem Stab

VOLTAIRE
leiernd

Wir haben von einem gewissen Marat
ein Heftchen erhalten
mit dem Titel
Über den Menschen
Besagter Marat erklärt uns in diesem umstürzenden
    Essay
daß die Seele ihren Sitz in der Gehirnbaumrinde habe
und von dort auf die hypodraulische Maschinerie des
    Körpers einwirke
und auch vom Mechanimismus des Körpers ihrerseits
    Benachrichtigungen
entgegennähme und dieselben in einzelnen zu
    verschiedenen Zeiten
wirksamen Zentrifugien zu Bewußtsein verwandle
Mit andern Worten
so meint dieser Herr
daß ein Hühnerauge
die Gehirnwindeln mit seelischem Schmerz fülle
und daß eine bekümmerte Seele
die Leber oder Niere versaure
Für derartigen Zeitvertreib
der sich als Wissenschaft ausgibt
haben wir nicht mal ein Gelächter übrig

Cucurucu und Rossignol lachen ironisch Ha ha ha.
Eine Figur mit einem Palmenzweig tritt vor.

AUSRUFER

Dies ist der Herr Lavoisier
als er noch stand auf des Ruhmes Höh

zeigt mit dem Stab

LAVOISIER
leiernd

Die Akademie hat von einem gewissen Marat
Ausführungen über das Feuer die Elektrifizität und
    das Licht
entgegengenommen
Besagter Marat maßt sich an
unsre Lehren verbessern zu können
Feuer sagt er ist kein Urstoff
sondern ein flüssiges Fluidium wo bei Erhitzung
    entsteht
und wo sich an der Luft entzündet
Licht sagt er sodann ist eigentlich kein Licht
sondern der Weg des Lichtes den das Licht zurücklegt
wo nämlich nur aus vibrationierenden Strahlen besteht
Ist überhaupt ein großer Entdecker
sagt daß auch Wärme eigentlich keine Wärme ist
sondern nur aus vibrationierenden Strahlen besteht
die erst Wärme bilden
wenn sie mit einem Körper karambolieren
und in demselben die kleinsten Molekugeln
in Bewegung versetzen
Mit andern Worten

so will dieser Meister
die Schöpfung
in der alles fest und beständig ist
für ungültig erklären
und anstelle eine ständige Aktivivität
von elektrifizischen Magnetitäten einführen
wo sich aneinander reiben
Kein Wunder
daß er da in einer Wanne sitzt
und sich vor Jucken nicht zu helfen weiß

Kokol und Polpoch lachen ironisch Ha ha ha.
Vater und Mutter fallen in das Gelächter ein.
Die Figuren nehmen die Haltung von Richtern ein, die ein
Urteil aussprechen.

VOLTAIRE
zu Musikbegleitung

Und als er es mit seiner Forscherei zu nichts brachte

PRIESTER
Da kam diesem Dilettanten die Revolution gerade
gelegen

LEHRER
Und er ging zu den Unterdrückten über

NEUREICHER
Und nannte sich Freund des Volkes

PRIESTER
Doch er dachte nicht an das Volk

LAVOISIER
Sondern nur an seine eigene Unterdrücktheit

.

*Vor- und zurückschaukelnd, das Gelächter wieder aufneh-
mend, schieben Vater und Mutter den Karren mit den
Figuren zurück.
Roux eilt nach vorn, als Verteidiger.*

ROUX

Wehe dem Andersgearteten
der es wagt nach allen Richtungen
gegen die Begrenzungen anzudrängen
um sie zu erweitern und zu durchstoßen
überall aufgehalten und angepöbelt
von den scheuklappenbehängten Sicherern
alter Positionen
Du wolltest Helligkeit
deshalb erforschtest du das Feuer und das Licht

Unruhe entsteht im Hintergrund.

Du wolltest herausfinden wie die Kräfte zu lenken
    seien
deshalb studiertest du die Elektrizität
und die Funktion des Menschen wolltest du klarlegen
deshalb fragtest du dich was denn dies sei
die Seele

Patienten treten zu einer Gruppe vor.

dieser Klumpen von leeren Idealen und verworrener
    Ethik
und du legtest die Seele ins Gehirn
damit sie denken lerne
denn Seele ist dir etwas Praktisches
etwas mit dem wir unser Dasein regeln und bemeistern
    können

Und zur Revolution kamst du
weil es sich dir zeigte
daß vor allem andern
grundlegende Änderungen in den Verhältnissen erreicht
    werden müssen
und daß ohne diese Änderungen
nichts was wir unternehmen
fruchtbar werden kann

Coulmier springt auf. Schwestern und Pfleger laufen auf
Roux zu und reißen ihn zum Hintergrund zurück. Sade
steht hoch aufgerichtet vor seinem Stuhl und lächelt.
Corday liegt schlafend auf der Bank. Duperret sitzt vor
ihr auf dem Boden.

CHOR
zu Musikbegleitung, während die Schwestern eine Litanei
singen.

Marat was ist aus unsrer Revolution geworden
Marat wir wolln nicht mehr warten bis morgen
Marat wir sind immer noch arme Leute
und die geforderten Änderungen wollen wir heute

Musik zu Ende.

AUSRUFER
läßt die Holzrassel schwingen

So schalten wir in die schnell abrollende Zeit
in der der Schluß schon nicht mehr weit
zur Erleichterung eine andre Zeitspanne ein
ganz als würde hier alles zum Schein
nur vorgetragen und gespielt
und als könnte das Ende auf das alles zielt

nach eigenem Wunsch und nach eigenem Verlangen
geändert werden und aufgefangen
Erfreun wir uns jetzt unsrer gegenwärtigen Tage
und erwägen wir in der Pause dessen Lage

zeigt auf Marat

den Sie bald wieder nach Kaffee und Bier
sehen werden in der Wanne hier

Vorhang

Zweiter Akt

Läuten der Hospizglocke hinter der Bühne.

27   DIE NATIONALVERSAMMLUNG

Gleiches Bühnenbild, mit folgenden Gruppierungen: Rechts, um Sades Stuhl, und vor Coulmiers Tribüne, sitzen die Patienten, die in der Nationalversammlung die Girondisten darstellen.
Duperret sitzt zwischen den beiden Patientinnen, die sich zu Freudenmädchen ausstaffiert haben.
Links um Marats Wanne befinden sich die Patienten, die die Jakobiner darstellen, sowie die zuhörenden Vertreter des Volkes. Hier halten sich auch die vier Sänger auf.

Chor in Sektionen:
Ein lang ausgehaltener Buh-Ruf
Ein langes eintöniges Pfeifen
Ein gedämpftes Füßetrampeln.
Marat steht hoch aufgerichtet in seiner Wanne und blickt nach vorn.

AUSRUFER
Wir hören wie Marat ehe er verspielt
im Geist seine letzte Rede hielt
um dem Auditorium einen zu empfehlen
den sie als Tribun könnten wählen

er gibt dem Orchester ein Zeichen mit dem Stab. Ein Tusch.
Die Umsitzenden im Tableau pfeifen, trampeln und scharren
mit den Füßen.

RUFE
einstudiert

Nieder mit Marat
Man verbiete ihm das Reden
Hört ihn an er hat das Recht zu sprechen
Raus mit ihm
Lebe Robespierre
Lebe Danton

MARAT
nach vorn sprechend. In seiner ganzen Ansprache richtet er
sich nicht an die auf der Bühne Anwesenden. Es bleibt deut-
lich, daß seine Rede imaginär ist.

Mitbürger
Abgeordnete der Nationalversammlung
Unser Land ist in Gefahr
Von ganz Europa sind Armeen über unsre Grenzen
    eingebrochen
dirigiert von Schiebern
die uns abwürgen wollen
und sich schon um die Verteilung der Beute streiten
Und was tun wir

Füßescharren links.

Unser Kriegsminister
dessen Tugend und Ehrbarkeit ihr nie bezweifelt
hat das Getreide das zur Verpflegung unsrer Heere
    bestimmt war

mit eignem Gewinn ans Ausland verkauft
wo es jetzt den Truppen zugute kommt
die gegen uns stehn

Ein langer Pfiff.
Zwischenruf: Lüge werft ihn raus

Unser Heerführer Dumouriez

Zwischenruf von Coulmiers Frau: Bravo Er lebe

vor dem ich seit langem warnte
und den ihr vor kurzem noch als Helden feiertet
ist zum Feind übergelaufen

Rufe: Pfui   Bravo   Lüge
Füßescharren.

Die Mehrzahl unserer Generäle
sympathisieren mit den Emigranten
und warten auf den Tag
an dem sie ihre gemeinsamen Geschäfte
wieder aufnehmen können

Rufe: Unters Beil mit ihnen
           Raus mit Marat
           Hetzer   Lügner
           Lebe Marat

Unser Vertrauensmann in Finanzfragen
der vielgelobte Herr Cambon
zieht durch Herstellung falscher Wertpapiere
ein Vermögen in die eigene Tasche
während er durch die Ausfertigung von Assignaten
die Inflation in die Höhe treibt

Pfiffe und Getrampel.
Zwischenruf von Rossignol: Es lebe das freie Geschäft

und ich höre
daß unser geschickter Bankier Perregaux
mit den Engländern unter einer Decke steckt
und in seinen Panzerkellern
ein Spionagezentrum gegen uns leitet

COULMIER
springt auf und erhebt Einspruch

Unverschämtheiten gegen einen verdienten **Mann**
einen Ritter der Ehrenlegion
von Napoleon zum Chef der Bank von Frankreich
ernannt

Zwischenrufe: Aufhören Marat
Stopft ihm das Maul
Weitersprechen
Lebe Marat

MARAT
einfallend

Das Volk kann die Wucherpreise fürs Brot nicht zahlen
unsere Soldaten gehen in Lumpen
ein neuer Bürgerkrieg ist von der Konterrevolution
entfacht worden
und was tun wir
Nichts ist bisher von den klerikalen Ländereien
den Besitzlosen zugute gekommen
und vor Jahren schlug ich vor
diese zu Parzellen aufzuteilen
und mit Ackerbaugeräten und Saatgut zu versorgen
Auch sehn wir nichts von den Gemeindewerkstätten
die in den ehemaligen Klöstern und Herrschaftshäusern

eingerichtet werden sollten
wer Arbeit hat
schuftet sich ab
für Makler Börsenagenten und Aktienspekulanten

Zischen.

Mitbürger
haben wir um die Freiheit derer gekämpft
die uns jetzt wieder ausbeuten

Rufe: Aufhören Abführen
      Hört hört

Unser Land ist in Gefahr
Wir sprechen von Frankreich
doch für wen ist Frankreich
Wir sprechen von Freiheit
doch für wen ist diese Freiheit
Abgeordnete der Nationalversammlung
nie werdet ihr herauskommen aus eurer Vergangenheit
nie werdet ihr verstehn
in welche Umwandlungen ihr hineingeraten seid

Pfiffe und Buh-Rufe.

Warum sind nicht Tausende von Plätzen
hier in diesem Konvent
so daß jeder der es will
hören kann was hier vorgeht

DUPERRET
  Was will er mit seinem Gerede
  will er die Leute wieder aufhetzen
  Seht euch doch an was da auf den Tribünen herumsitzt

Strickerinnen Pförtnerinnen und Waschweiber
ihrer Arbeitgeber beraubt
Und was hat er sonst noch
Tagediebe Flaneure Parasiten
wie sie auf den Boulevards strolchen

Empörung zwischen den Zuhörern.

und in den Cafés lungern

Zwischenruf: Wenn wir könnten

Entlassene Gefangene
entlaufene Irre

Tumult und Pfiffe.

will er mit denen
unser Land steuern

MARAT
Ihr Lügner
ihr haßt das Volk

Geschrei der Empörung.
Rufe: Lebe Marat   Er spricht die Wahrheit

Immer werdet ihr vom Volk
als von einer rohen und formlosen Masse sprechen
weil ihr getrennt von ihm lebt
Ihr habt euch mitreißen lassen zur Revolution
ohne ihre Grundbegriffe zu kennen
Meint nicht selbst unser geschätzter Danton
daß wir anstatt den Reichtum zu verbieten
uns bemühen sollten
die Armut ehrenhaft zu machen

und sitzt Robespierre
der beim Wort Gewalt erbleicht
nicht an vornehmen Tafeln
und führt gepflegte Gespräche
bei Kerzenschein

Zungenschnalzen.
Zwischenrufe: Nieder Robespierre
                Lebe Marat

Immer noch wollt ihr ihnen nacheifern
den gepuderten Schurken
Necker Lafayette Talleyrand

COULMIER
dazwischenrufend

Maul halten
Wir leben heute im Jahr achtzehnhundert und acht
und der Kaiser hat diesen Namen
die damals durch den Schmutz gezogen wurden
wieder die Ehre gegeben
die ihnen gebührt

MARAT
einfallend

Und so weiter
wie sie alle heißen
Wir brauchen endlich einen wahren Abgeordneten des
    Volkes
einen der unbestechlich ist
einen dem wir trauen können
Wir haben die Auflösung und das Chaos

das ist gut
das ist das erste Stadium
Jetzt müssen wir zum zweiten Stadium gelangen
Wählt einen
der eure Interessen wahrt

Zwischenrufe: Marat als Diktator
Marat in der Badewanne
Runter mit ihm in die Kloaken
Diktator der Ratten

Diktator
dieses Wort soll verschwinden
ich hasse alles
was an Meister und Patriarchen erinnert
Ich spreche von einem Chef
der in der Zeit der Krise

Seine Worte gehen in gewaltsamem Tumult unter.

DUPERRET
Er will aufwiegeln
zu neuen Morden

MARAT
Wir morden nicht
wir töten aus Notwehr
wir kämpfen
um unser Leben

DUPERRET
O hätten wir noch schöpferische Gedanken
anstelle von Agitation

Hätten wir wieder Schönheit und Harmonie
anstatt Taumel und Fanatismus

*Die vier Sänger werfen sich über ihn und halten ihm den
Mund zu.*

ROUX
im Hintergrund aufspringend

Hört was hier geschieht
Vereint euch
Stürzt eure Feinde
Macht sie unschädlich
denn wenn s i e gewinnen
dann würden sie
k e i n e n   v o n   e u c h   v e r s c h o n e n
und alles was wir erreicht haben
ist verloren

Begeisterte Rufe, Pfiffe und Getrampel im Sprechchor:
Buh
Raus mit Marat
Nieder   Nieder

RUFE
Marat Marat Marat Marat Marat
Den Lorbeerkranz für Marat
Einen Triumphzug für Marat
Es leben die Straßen
Es leben die Laternenpfähle
Es leben die Bäckerläden
Es lebe die Freiheit
Nieder mit der Zwangsjacke

Nieder mit den verriegelten Türen
Nieder mit den Gittern

Aufruhr und Geschrei. Die Patienten stürzen nach vorn.
Huldigung Marats.

CHOR

Hoch Marat auf dich wollen wir bauen
du bist der einzige dem wir vertrauen

KOKOL UND POLPOCH
tanzend

Stürzt die Reichen mitsamt ihrem Gott
und werft den Erlös in einen gemeinsamen Pott

CUCURUCU UND ROSSIGNOL
tanzend

Wir wollen auch einmal versuchen
wie Rehrücken schmeckt und Sahnekuchen

CHOR

Marat Marat Marat Marat Marat

SADE
vortretend, während der Sprechchor im Hintergrund lang-
sam leiser wird.

Einen werden sie finden
auf den sie alles abladen können
und sie werden ihn ernennen zu einem blutgierigen
    Ungeheuer
das in die Geschichte eingehen kann
unter dem Namen Marat

Trommelwirbel und Musikeinsatz.

Marat läßt sich in die Wanne zurücksinken. Erschöpft lehnt
er sich vornüber auf das Brett.
Die Zuschauerbänke werden zurückgeschoben, die Patienten
werden von den Schwestern und Pflegern nach hinten ge-
drängt.
Vorn tanzen die vier Sänger eine langsame Carmagnole.

KOKOL UND POLPOCH
Armer Marat in deiner Wanne
Von Zeit hast du nur noch ne kurze Spanne
mit rasender Eil gehts zu auf dein End
obgleich die Corday auf ihrer Bank jetzt pennt

CUCURUCU UND ROSSIGNOL
Stellt euch nur vor sie würd es verschlafen
dieweil sie da träumt von Rittern und Grafen
Marat vielleicht ists noch möglich du wirst gesund
und niemand fügt dir zu die tödliche Wund

KOKOL UND POLPOCH
Armer Marat schärf deine Ohren
denn ohne dich sind wir verloren

CUCURUCU UND ROSSIGNOL
Armer Marat sei auf der Wacht
an diesem Abend vor dieser Nacht

Drei dröhnende Trommelwirbel.
Im Hintergrund ist Ruhe hergestellt worden. Die Patienten
müssen ausgerichtet stehen, die Hände überm Kopf ver-
schränkt. Schwestern stehen vor ihm, falten die Hände und
beten.

Das Murmeln der Gebete ist zu vernehmen. Die vier Sänger
tanzen noch eine Weile weiter und strecken sich dann auf
dem Boden aus.

MARAT
mit Furcht in der Stimme

Was ist das für ein Klopfen Simonne

wieder tyrannisch

Simonne
gieß kaltes Wasser zu

Simonne sitzt zusammengekauert und reagiert nicht.

Simonne
wo bleibt Bas

SADE
Gib es auf Marat
du sagtest selbst
es sei nichts zu erreichen mit dem Gekritzel
Auch ich habe mein Hauptwerk längst aufgegeben
eine dreißig Meter lange Papierrolle
dicht beschrieben mit winziger Schrift
damals im Kerker
Sie verschwand beim Fall der Bastille
Sie verschwand wie alles Geschriebene verschwindet
wie alles Gedachte und Geplante verschwindet

Marat liegt mit dem Gesicht auf dem Brett und hält die
Hände vor die Ohren.

Marat
sieh mich an

Marat
wie hast du gelebt
in deiner Wanne
in deiner Kasteiung

Die Patienten wechseln auf Befehl der Schwestern die Haltung und strecken die Hände hoch.

MARAT
richtet sich auf

Ich hatte zu nichts anderm Zeit
als zur Arbeit
Der Tag und die Nacht reichten mir nicht aus
Wenn ich einen Mißstand untersuchte
so verzweigte er sich gleich
Wo ich auch hingriff
überall geriet ich in ein Wuchern

Ein Patient fällt aus der Reihe heraus.
Ein Pfleger trägt ihn fort.

Wenn ich schrieb
so schrieb ich immer mit dem Gedanken an Handlung
hatte immer vor Augen
daß dies nur Vorbereitung war
Wenn ich schrieb
so schrieb ich immer im Fieber
und hörte schon das Dröhnen der Handlungen
Damals
bei der Abfassung der Schrift über die Ketten der
    Sklaverei
saß ich drei Monate lang einundzwanzig Stunden am
    Tag
über Bergen von Wälzern

das Material zusammensuchend das Material sichtend
das sich knisternd und siedend ausbreiten wollte
immer weiter
bis ich in dessen Sümpfen versackte
Ich lag dann zwei Wochen in einem Stupor
während das abgesandte Manuskript unterschlagen
    wurde
Dies gehörte ja dazu
immer standen sie bereit
meine Aussagen abzufangen
zu verleumden und unschädlich zu machen
Nach jeder Fertigstellung eines Flugblatts
mußte ich hinunter in die Laufgänge
Sie kamen mit Kanonen
tausend Mann der Nationalgarde standen um mein
    Haus
und heute noch
warte ich auf das Klopfen an der Tür
warte darauf
daß sich das Bajonett
auf meine Brust setzt

SADE

Was sollen die Aufrufe
Es ist zu spät Marat
Vergiß deinen Aufruf
er enthält nur Lügen
Was willst du noch mit dieser Revolution
wohin soll sie führen
Sieh diese verlorenen Revolteure

zeigt auf die vier Sänger, die wartend dasitzen

mit ihren angesteckten Kokarden
Was willst du ihnen befehlen
wohin willst du sie leiten
was willst du ihnen befehlen
Einmal sprachst du von den Obrigkeiten
in deren Hände die Gesetze
zu Unterdrückungsinstrumenten werden
Oder willst du daß einer über dich bestimmt
und über deine geschriebenen Worte
und dich zwingt
zu dieser Arbeit oder zu jener
und dir neue Ordnungen vorspricht
wieder und wieder
bis du sie im Schlaf nachsprechen kannst

Die Patienten im Hintergrund gehen im Kreis, die Schwe-
stern beten dazu.

Die vier Sänger erheben sich und treten vor.

MARAT
lehnt sich wieder vornüber auf das Brett

Warum wird alles so undeutlich
Alles was ich sagte
war doch durchdacht und wahr
jedes Argument stimmte
warum zweifle ich jetzt
warum klingt alles falsch

DIE VIER SÄNGER
Armer Marat in deinem belagerten Haus
du bist uns um ein Jahrhundert voraus

und während das Hackbeil draußen schellt
werden deine Worte entstellt
und im Blut verronnen
ist alles was du an Wahrheit gewonnen

Musik zu Ende. Die vier Sänger treten zurück.
Die Patienten werden zu ihren Sitzplätzen geleitet.
Die Schwestern bemühen sich, Corday zu wecken.
Ein dreimaliges großes Pochen.

29   VORBEREITUNGEN ZUM DRITTEN BESUCH

AUSRUFER
　　Corday
　　wach auf

Pause.
Der Name Corday wird im Hintergrund geflüstert. Das
Flüstern schwillt an und breitet sich über die ganze Bühne
aus. Die Schwestern rütteln Corday, Duperret ruft ihren
Namen.
Simonne steht verkrampft neben der Wanne und blickt in
Cordays Richtung.

CHOR
　　Corday Corday
　　Wach auf
　　Wach auf
　　Wach auf Corday
　　Corday wach auf

gibt dem Orchester ein Zeichen mit dem Stab.
Das Corday-Thema setzt ein.

Charlotte Corday es ist jetzt so weit
du hast jetzt zum Schlafen keine Zeit
Charlotte Corday steh jetzt auf
und fasse deinen Dolch beim Knauf

Pause.
Corday wird von den Schwestern hochgezogen. Corday
hält den Kopf gesenkt und knickt in den Beinen ein. Die
Schwestern stützen sie und führen sie langsam nach vorn.
Ihre Beine schleifen auf dem Boden.
Duperret geht hinter ihr her und hält seine Hände um ihre
Hüften.

Charlotte Corday du weißt ja Bescheid
bald kannst du schlafen in Ewigkeit

Corday wird aufgestellt.
Zwei Schwestern halten sie an den Seiten fest. Duperret steht
hinter ihr und stützt ihren Rücken.
Musik zu Ende.

CORDAY

hat die Augen noch geschlossen, spricht leise, angstvoll

Jetzt weiß ich wie dieser Augenblick ist
in dem der Kopf vom Leib getrennt wird
dieser Augenblick
die Hände auf dem Rücken gebunden
die Füße zusammengeschnürt
der Hals entblößt
das Haar abgeschnitten

der Augenblick auf den Brettern
das Geräusch des hochgezogenen Beils
von dessen schräger Schneide
das Blut noch tröpfelt
dieser Augenblick
der Kopf eingespannt in das metallene Joch
hinabblickend in den triefenden Korb
und dann der Sturz
der uns zweiteilt

Pause

Es heißt
daß der Kopf
wenn er von der Hand des Scharfrichters hochgehalten
   wird
noch lebt
daß die Augen noch sehen
daß die Zunge sich noch regt
und unten zucken noch die Arme und Beine

DUPERRET
*tritt vor sie hin, hält aber noch die Hand um ihre Hüfte. Die
Laute begleitet ihn.*

Wovon sprichst du Charlotte
was sind das für Träume
wach auf Charlotte und betrachte die Bäume
betrachte das rosige Abendlicht
und denke an solche Dinge nicht
verspüre die Wärme und sommerliche Luft
in der sich hebt deine schöne Brust

Pause

*Er hebt die Hand und streicht ihr über die Brust. Er spürt
den Dolch unter dem Tuch.*

Was trägst du denn dort
Einen Dolch
wirf ihn fort

Musik zu Ende.

CORDAY
stößt seine Hand weg

Wir müssen jetzt Waffen tragen
um uns zu verteidigen

DUPERRET
flehend

Niemand greift dich an Charlotte
Charlotte wirf den Dolch weg
Fahre weg von hier
zurück nach Caen

CORDAY
richtet sich auf und stößt die Hände der Schwestern weg

In meinem Zimmer in Caen
auf dem Tisch unterm offenen Fenster
liegt Judiths aufgeschlagenes Buch
Judith brach auf um nie zurückzukehren
Angetan mit wunderbarer Schönheit
trat sie vor das Lager
des Tyrannen
und mit einem einzigen Hieb
vernichtete sie ihn

DUPERRET
Charlotte
was planst du

CORDAY
wieder versunken

Sieh diese Stadt
in der die Gefängnisse voll sind
von unsern Freunden
Ich war bei ihnen
eben im Schlaf
Sie stehn dort zusammengedrängt
und hören durch die Luken
die Posten von den Hinrichtungen sprechen
Es ist jetzt die Rede von Backofenschüben
und sie werden abgeholt nach Listen
die im gleichen Maß in dem sie sich verkürzen
verlängert werden von der Handschrift der Fänger
Ich stand bei ihnen
und wir warteten
auf die Verlesung unserer Namen

DUPERRET
Charlotte
laß uns zusammen fahren
noch heute abend

CORDAY
als habe sie ihn nicht gehört

Was ist dies für eine Stadt
was sind dies für Straßen

wer hat dies ersonnen
und schlägt schon Gewinn draus
Händler sah ich
überall an den Ecken
sie verkaufen kleine Guillotinen
mit winzigen scharfen Beilen
und Puppen mit roter Flüssigkeit gefüllt
die aus dem Hals spritzt
wenn das Urteil vollzogen ist
Was sind dies für Kinder
die wissen
mit solchem Spielzeug kunstfertig umzugehn
und wer spricht die Urteile
wer spricht die Urteile

Patienten treten zu einer Gruppe in den Mittelgrund vor.
Corday hebt die Hand zur Geste des Klopfens.

30   DRITTER UND LETZTER BESUCH DER CORDAY

Der Ausrufer klopft dreimal mit dem Stab auf den Boden,
während Corday die Klopfbewegung mit der Hand aus-
führt.
Marat schreckt auf und blickt in Cordays Richtung.
Simonne stellt sich schützend vor die Wanne.

DUPERRET
Was willst du an dieser Tür
Weißt du denn wer hier wohnt

CORDAY

Er
um dessentwillen ich hierhergekommen bin

DUPERRET

Was willst du von ihm
kehre um Charlotte

fällt vor ihr aufs Knie

CORDAY

Ich habe einen Auftrag
den muß ich ausführen
Geh

stößt ihn mit dem Fuß

und laß mich allein

Duperret umschlingt ihre Beine. Sie tritt mehrmals nach ihm.
Duperret zieht sich auf den Knien zurück.

AUSRUFER

zeigt mit dem Stab auf Corday

Nun sehen Sie wie zum dritten Mal
diejenige die in diesem Saal
die Corday spielt in unserm Stück
vor der Tür des Marat versucht ihr Glück
vor ihren Füßen sehen Sie Duperret

zeigt auf ihn

zusammengesackt in Abschiedsweh
Sie sehen sie will seinen Schmerz nicht lindern
und läßt sich an ihrem Schritt nicht hindern

hebt den Zeigefinger

denn es läßt sich nicht ändern was einmal geschehn
und wollten wir alle es auch anders sehn

zeigt auf Corday

es hilft nichts sie hat diesen da schon vergessen

zeigt auf Duperret.
Duperret kriecht auf den Knien nach rückwärts.

und ist auf den andern da drinnen

zeigt auf Marat

versessen

MARAT
richtet sich hoch auf

Nein ich habe recht
und werde es noch einmal sagen
Simonne
wo bleibt Bas
es eilt
mein Aufruf

*Simonne tritt zur Seite, bleibt dort stehen und starrt verhext
auf Corday.*

SADE
geht auf die Wanne zu

Marat
was sind alle Pamphlete und Reden
gegen sie
die da steht und zu dir will
um dich zu küssen und zu umarmen

Marat
eine Virgo Intacta steht vor dir und bietet sich dir an

*Corday steht hoch aufgerichtet und lächelnd da, sie schwingt
ihr Haar zur Seite und legt die Hand auf ihr Brusttuch,
dort wo sie den Dolch verwahrt.*

Sieh wie sie lächelt
wie ihre Zähne glitzern
wie sie ihr Haar zur Seite schwingt
Marat
gib alles andre auf
jetzt da sie zu dir kommt
Marat
es gibt nichts andres
als diesen Leib
Sieh
da steht sie
mit nackter Brust unterm dünnen Tuch
Vielleicht trägt sie ein Messer
zur Aufreizung des Liebesspiels

*Corday bewegt sich einen Schritt näher an die Wanne heran.
Sie bietet ihren Körper dar, wiegt sich leicht hin und her.
Simonne steht erstarrt, knetet nur mechanisch das Tuch, das
sie in der Hand hält.*

MARAT
Simonne
Simonne wer hat geklopft

SADE
Ein Mädchen
aus der ländlichen Einöde eines Klosters

Bedenke
wie diese Mädchen auf hartem Boden liegen
in Nesselhemden
und wie die warme Luft von den Feldern
zu ihnen durchs vergitterte Fenster dringt
Bedenke
wie sie da liegen
mit nassem Schoß und mit nasser Brust
und an jene denken
die draußen das Leben lenken

Lautenakkord.
Im Rezitativ, während Patienten nach vorn treten und die
»Kopulations-Pantomime« aufführen.

SADE
Musikbegleitung

Und da hatte sie genug von der Abgeschiedenheit
und wurde ergriffen von der neuen Zeit
Und geriet hinein in die Umschmelzungen
und wollte beitragen zu den Umwälzungen
Denn was wäre schon diese Revolution
ohne eine allgemeine Kopulation

CHOR
im Kanon

Denn was wäre schon diese Revolution
ohne eine allgemeine Kopulation

Die Pantomime zu Ende.

SADE
Marat
nah ist nur dieser Leib

der dich erwartet
Marat
als ich in der Zitadelle lag
dreizehn Jahre lang
da habe ich gelernt
daß dies eine Welt von Leibern ist
und jeder Leib voll von einer furchtbaren Kraft
und jeder allein und gepeinigt von seiner Unruhe
In diesem Alleinsein
mitten in einem Meer von Mauern
hörte ich ununterbrochen dieses Flüstern von Lippen
spürte ununterbrochen
in den Flächen der Hände und an der Haut des Körpers
diese Berührungen
Eingeschlossen hinter dreizehn Riegeln
den Fuß in der Kette
träumte ich nur
von diesen Körperöffnungen
die dazu da sind
daß man sich in sie verhakt und verschlingt

*Ein Patient kommt auf Zehenspitzen, vorgebeugt, nach vorn
und verweilt mit eingezogenem Kopf, gespannt lauschend.
Andere Patienten folgen.*

Ununterbrochen träumte ich von diesem einzigen
Gegenüber
und es war ein Traum von rasender Eifersucht
und gewaltsamen Meditationen
Marat
diese Gefängnisse des Innern
sind schlimmer als die tiefsten steinernen Verliese

und solange sie nicht geöffnet werden
bleibt all euer Aufruhr
nur eine Gefängnisrevolte
die niedergeschlagen wird
von bestochenen Mitgefangenen

CHOR
Wiederholung mit Musikbegleitung

Denn was wäre schon diese Revolution
ohne eine allgemeine Kopulation

Musik zu Ende.

CORDAY
zu Simonne, von der Laute begleitet

Hast du Marat meinen Brief übergeben
laß mich jetzt ein es geht um das Leben
ich muß Marat über die Lage in Caen berichten
wo sie sich sammeln um ihn zu vernichten

MARAT
Wer ist da an der Tür

SIMONNE
stellt sich wieder deckend vor die Wanne

Das Mädchen aus Caen

MARAT
Laß sie zu mir

*Simonne tritt zur Seite, heftig den Kopf schüttelnd. Sie
kauert sich hinter der Wanne nieder und verbirgt das Gesicht
in den Händen.*
Corday bewegt sich auf die Wanne zu. Ihr Gang ist wie-

gend. Sie lächelt. Ihre Hand liegt immer noch auf dem
Brusttuch.
Sade begibt sich zu seinem Stuhl, wo er stehen bleibt und die
Handlung voller Spannung verfolgt.

CORDAY
leise

Marat
ich will dir die Namen meiner Helden nennen
doch ich verrate sie nicht
denn ich spreche zu einem Toten

MARAT
richtet sich auf

Sprich deutlicher
ich versteh dich nicht
Komm näher

Corday nähert sich starr lächelnd der Wanne. Ihr Körper
dreht und wiegt sich langsam. Sie schiebt die Hand unter ihr
Brusttuch.

CORDAY
in einen Singsang geratend

Namen nenne ich dir
Marat
Namen von denen
die sich in Caen versammelt haben
Barbaroux nenne ich dir
und Buzot
und Pétion
und Louvet

und Brissot
und Vergniaud
und Guadet
und Gensonné

Während des Aussprechens der Namen verzerrt sich ihr Gesicht mehr und mehr zu einer Wildheit, in der sich Haß und Wollust mischen.

MARAT

Wer bist du
komm näher

Marat richtet sich hoch auf. Das Tuch gleitet von seinen Schultern.
Corday wiegt sich näher an Marat heran.
Ihre linke Hand hält sie wie zu Liebkosungen ausgestreckt.
In der rechten Hand hält sie den Dolch unterm Tuch.

CORDAY

Ich komme Marat
doch du kannst mich nicht sehn Marat
weil du tot bist

MARAT

halbnackt, richtet sich hoch auf, schreit

Bas
schreibe was ich dir diktiere
Sonnabend den dreizehnten Juli
siebzehnhundert dreiundneunzig
An die französische Nation

Corday steht unmittelbar vor Marat. Sie führt ihre linke Hand nah an seiner Haut über seine Brust, seine Schultern, seinen Hals.

Marat sitzt über die Rücklehne der Wanne gebäumt. In der
rechten Hand hält er die Schreibfeder.
Corday zieht den Dolch aus dem Brusttuch. Sie ergreift den
Dolch mit beiden Händen und holt mit den Armen weit zum
Hieb aus.
Der Ausrufer läßt eine schrille Pfeife ertönen.
Die Patienten, Pfleger und Schwestern verharren unbeweg-
lich. Corday sinkt in sich zusammen. Marat sitzt in vorge-
beugter Ruhestellung.

31   INTERRUPTUS

AUSRUFER

Es gehört zu Herrn de Sades künstlerischem Duktus
daß er jetzt einschaltet einen Interruptus
und zwar soll Marat in dieser Sekunde
vorm End noch hören aus unserm Munde
was nach ihm kommt wenn er nicht mehr ist
und was ihr alle dort unten wißt

zeigt aufs Publikum.
Musik setzt ein mit einem schnellen militärischen Marsch.
Die vier Sänger treten vor.

DIE VIER SÄNGER

In der Vendée rast jetzt der Streit
voll Mut und voller Grausamkeit
zwischen den unsern und den Royalisten
und es gelingt uns sie auszumisten
Mit fliegenden Fahnen kommen wir schon

singend und sengend die Strafexpedition
dir zu Ehren Regiment Marat genannt
und damit säubern wir das Land

Marat alles was du uns gepredigt
wird jetzt mit großer Kraft erledigt
Die Feinde liegen erschlagen im Sand
oder sterben von eigener Hand
Und mit Kanonen und Pferden kommen wir schon
und stürmen den Hochsitz der Gegenrevolution
Lyon wo wir ein Exempel statuieren
und dreitausend Mann auf einmal ex'kutieren

Auch nach Nantes sind wir jetzt gekommen
und da wird gründliche Rache vorgenommen
Jedes Haus in dem ein Aufständischer gewohnt
wird niedergerissen und keiner wird verschont
Und mit Trompeten und Trommeln kommen wir schon
in die verräterische Stadt Toulon
und dabei ist einer wir werdens noch spüren
der kann uns zu großen Siegen anführen

Du siehst Marat es geht voran
und jetzt packen wir auch die eigenen an
Wie du gesagt hast so müssen vor allem
die Schwachen und Unfähigen wegfallen
Und mit Karren und Beilen kommen wir schon
und holen uns die Verräter der Revolution
Da steht Danton die Hände gebunden
und schon ist sein Kopf im Korb verschwunden

Robespierre führt jetzt die Jakobiner
gegen die Betrüger und Geldverdiener

doch so viele wir auch von ihnen vernichten
sie wollen immer noch nicht auf ihr Reich verzichten
Und mit Gold und mit Eisen kommen sie schon
und reden fröhlich von Restauration
Marat du siehst wie sie sich wieder entfalten
Nicht mal Robespierre kann sich da noch halten

Für diesmal verloren ist auch Jacques Roux
dessen Worte in diesem Kreise tabu
Marat zum Trost können wir dir noch sagen
wer es ist den wir jetzt bei uns haben
Mit Fanfaren und Pauken kommt er schon
ein leibhaftes Beispiel für aller Mühen Lohn
Der Bonaparte der ist jetzt da
stammt wie du aus Sardinien oder Corsica

Und er verspricht uns den ewigen Frieden
und gibt uns Arbeit in den Waffenschmieden
und zu Ehren der Revolution
nennt er sich Kaiser Napoleon
Das ist ein Schauspiel das können wir dir sagen
wir sehn es an mit knurrendem Magen
wir stehen nur und gaffen
und es segnen
und es segnen
und es segnen uns die Pfaffen

Ausrufer gibt ein Zeichen mit dem Stab.

AUSRUFER
Der Mord·

*Corday, plötzlich klarwach, holt mit den Armen weit zum
gewaltsamen Hieb aus und stößt den Dolch in Marats Brust.
Ein gemeinsamer Schrei aller Patienten.*
*Sade steht vorgebeugt, triumphierend, von einem lautlosen
Gelächter geschüttelt.*
*Alle umstehen die Wanne in einem heroischen Tableau. Die
Komposition hat folgendes Aussehen: Marat hängt, wie auf
Davids klassischem Bild, mit dem rechten Arm über der
Wannenkante. In der rechten Hand hält er die Schreibfeder,
in der linken Hand seine Papiere. Corday hält den Dolch
noch umfaßt. Die vier Sänger halten sie von hinten gepackt
und ziehen ihre Arme so weit zurück, daß ihr Brusttuch auf-
platzt und ihre Brüste entblößt werden.*
*Simonne steht mit einer Geste des Entsetzens über die Wanne
gebeugt.*
*Duperret liegt auf den Knien. Roux steht hinter der Wanne
hochaufgereckt auf einer Bank.*

33 EPILOG

Orchestereinsatz mit gedämpfter feierlicher Musik.
*Die Schwestern treten vor und nehmen Corday entgegen, die
jetzt in sich zusammensinkt.*

Sie legen ihr das Brusttuch um und führen sie auf Sade zu.
Corday überreicht Sade den Dolch.
Schwestern heben ein großes weißes Tuch vor die Wanne.
Hinter dem Tuch verläßt Marat die Wanne.
Ausrufer tritt vor und hebt den Stab.
Musik zu Ende.

AUSRUFER

Geehrtes Publikum in aufgeklärter Zeit
Nach diesem Blick in die Vergangenheit
wenden wir uns wieder der Gegenwart zu
die uns heute wenn auch nicht mit Ruh
so doch mit Zuversicht füllt vor dem Morgen
von dem es heißt es sei ohne Sorgen
Eh Sie hinausgehn aus den Türen
lassen Sie uns kurz rekapitulieren
was wir versuchten auszudrücken
in den gesprochnen und gesungnen Stücken
Zu diesem Zweck rufen wir noch einmal zum Leben
den Sie ermordet sahen soeben

Das Tuch wird gesenkt.
Marat tritt vor.

MARAT

Ich glaube nur an ein einziges Leben
drum trifft jetzt jedes Wort daneben
Nur ein einziges Mal hier in eurer Mitte
bin ich Herr über meine Schritte
und bei diesem einzigen Mal
mußte ich treffen meine Wahl
Was sich mir zeigte war eine einzige Welt
und diese war regiert vom Geld
doch die es besaßen waren nur wenige

und die's nicht besaßen waren unzählige
Es zeigte sich mir daß es galt
das Gesetz zu brechen mit Gewalt
und jene zu stürzen die dick und breit
dasitzen in geheuchelter Sicherheit
die uns erklären die Unterschiede müßten bestehn
und der Kampf um den Profit müßte weitergehn
Als Leiche bin ich wenig wert
doch es bleibt bestehn was ich gelehrt
so daß andre die nach mir kommen
weiterführen was ich begonnen
bis einmal jeder im gleichen Maß ein Hüter
sein wird aller gemeinsamen Güter

CORDAY

Auch ich sah diese Veränderungen so
denn beide gingen wir aus vom großen Rousseau
doch der Grund daß wir uns nicht vereinten
ist daß wir beide was andres meinten
wenn wir die gleichen Worte wählten
mit denen wir unsre Ideale aufzählten
Beide wollten wir die Freiheit erreichen
doch für dich gings zur Freiheit über einen Berg von
    Leichen
Von Eintracht sprachen wir wie aus einem Munde
doch wie du dir die Eintracht dachtest davon gabst du
    uns Kunde
deshalb mußte ich auf deine Brüderlichkeit verzichten
und machte es mir zur Aufgabe dich zu vernichten
Ich tötete e i n e n um tausende zu retten
und sie zu befreien aus ihren Ketten

Und könnt ich meine Tat noch einmal begehn
ihr würdet mich wieder vor diesem hier sehn

ROUX
schnell vortretend

Und müßt ich mich mit meinem Tod nicht tarnen
so würd ich euch vor dieser da warnen

zeigt auf Corday

denn immer wieder müssen wir für diese zahlen
die wir reden hören von hohen Idealen
die von Reinheit sprechen und geistigen Zielen
und mit dem Ausbeuter unter einer Decke spielen
Gefährlicher noch als jene mit ihrem Geld
ist diese hier weil sie sich verstellt
in den andern sehn wir deutlich den Feind
bei dieser wissen wir nie was sie meint

*Auf Befehl Coulmiers sind Schwestern und Pfleger auf ihn
zugelaufen. Er wird abgeschleppt.*

AUSRUFER
wendet sich an Sade

Sagen Sie uns Herr Marquis
was Sie erreicht haben mit ihrer Regie
Führte das Spiel in unserm Bad
zu einem erkennbaren Resultat

SADE
Es war unsre Absicht in den Dialogen
Antithesen auszuproben
und diese immer wieder gegeneinander zu stellen
um die ständigen Zweifel zu erhellen

Jedoch finde ich wie ichs auch dreh und wende
in unserm Drama zu keinem Ende
Ich war selbst ein Fürsprecher der Gewalt
doch im Gespräch mit Marat sah ich bald
daß meine Gewalt eine andre war als seine
und daß ich seinen Weg verneine
Einerseits der Drang mit Beilen und Messern
die Welt zu verändern und zu verbessern
andererseits das individuelle System
kraft seiner eigenen Gedanken unterzugehn
So sehn Sie mich in der gegenwärtigen Lage
immer noch vor einer offenen Frage*

COULMIER

Jetzt aber leben wir in ganz anderen Zeiten
ohne Unterdrücker und ohne Pleiten
wir sind auf dem Weg uns zu erholen
wir haben Brot und es gibt auch Kohlen
und haben wir auch noch einen Krieg
so leuchtet vor uns doch nur der Sieg

*Das Orchester intoniert den Schlußmarsch. Die Patienten
beginnen, auf der Stelle zu marschieren.*

DIE VIER SÄNGER

Und haben die meisten auch wenig und nur wenige viel
so nähern wir uns doch alle dem gemeinsamen Ziel
und wir dürfen uns äußern in jeder Weise
und was wir nicht äußern dürfen sagen wir leise

* Dieser erste Teil des Epilogs, der in der ursprünglichen Fassung des Stücks
enthalten war und zur Londoner Inszenierung von Peter Brook sowie zur
Rostocker Inszenierung Hanns Anselm Pertens überarbeitet wurde, ist hier
zum ersten Mal der Buchausgabe beigefügt worden.

CHOR

zur gesteigerten Musik auf der Stelle marschierend

Und selbst wir Internierten sind nicht mehr gekettet
und für immer ist die Ehre unsres Landes gerettet
und um Politik brauchen wir uns nicht mehr zu streiten
denn einer ist da um uns alle zu leiten
um den Armen zu helfen und auch uns Kranken
und diesem einen haben wir alles zu verdanken
diesem einzigen Kaiser Napoleon
der glorreich beendete die Revolution

*Ein Transparent mit einer Apotheose Napoleons wird herab-
gelassen. Die Musik steigert sich. Der Zug setzt sich in Bewegung und marschiert nach vorn. Schwestern und Pfleger
drängen von den Seiten dagegen an. Der Zug marschiert
mehrmals vier Schritte vor und drei Schritte zurück. Musik
und Marschtakt werden immer gewaltsamer.
Coulmier tritt beunruhigt zur Seite und winkt mit den
Armen ab.*

ALLE

Der unsre unbesiegbare Armee
übers Wasser führt und durch Wüsten und Schnee
um unsre Macht nach allen Seiten
zum Segen der Völker zu verbreiten

*Mit dröhnendem Marschtakt gelangt der Zug weiter nach
vorn, indem er einige Schritte vor und einige Schritte zurück stampft.*

COULMIER

durch das Dröhnen rufend

Es lebe der Kaiser und die Nation

es lebe unsre Heilanstalt
Charenton

ALLE
rhythmisch beim Marschieren durcheinanderschreiend

Charenton Charenton
Napoleon Napoleon
Nation Nation
Revolution Revolution
Kopulation Kopulation

ROUX
schreit durch den Tumult

Wann werdet ihr sehen lernen

Musik, Geschrei und Trampeln wächst zum Sturm an.
Coulmier flüchtet auf seine Tribüne und läutet eine Alarm-
glocke.
Die Pfleger gehen mit ihren Knüppeln auf die Patienten
los.
Roux stürzt nach vorn.

ROUX
zu den Patienten und zum Publikum

Wann werdet ihr sehen lernen
Wann werdet ihr endlich verstehen

Er wirft sich rücklings vor die Reihen der Marschierenden.
Er will sie zurückdrängen, wird aber von ihnen aufgesogen
und verschwindet in der Tiefe des Zugs, der vorwärtsstampft.
Die Patienten sind in die Raserei ihres Marschtanzes ge-
raten. Viele hüpfen und drehen sich verzückt.
Coulmier feuert die Pfleger zur äußersten Gewalt an. Pa-
tienten werden niedergeschlagen.

Der Ausrufer vollführt im Takt große Sprünge vor dem Orchester.
Sade steht hoch auf seinem Stuhl und lacht triumphierend.
Verzweifelt gibt Coulmier das Signal zum Zuziehen des Vorhangs.

Vorhang

Schon vor seiner Gefangenschaft in der Zwingburg von Vincennes und der Pariser Bastille leitete Sade Theateraufführungen in seinem Schloß La Coste. Während der dreizehnjährigen Einkerkerung (zwischen seinem dreiunddreißigsten und sechsundvierzigsten Lebensjahr) schrieb er, neben seinen großen Prosawerken, siebzehn Dramen. In späteren Jahren kam noch etwa ein Dutzend von Tragödien, Komödien, Opern, Pantomimen und gereimten Einaktern hinzu. Von all diesen Stücken wurde während der Zeit, die er zwischen 1790 und 1801 in Freiheit verbrachte, nur *Oxstiern ou les malheurs du libertinage* in einem Theater zur Aufführung gebracht und gleich wieder, nach einem Skandal, abgesetzt. Von 1801 bis zu seinem Tod 1814 war er in der Irrenanstalt Charenton interniert, wo er einige Jahre lang Gelegenheit hatte, im Kreis der Patienten Schauspiele zu inszenieren und selbst als Schauspieler auf der Bühne zu stehen. Charenton war (nach der Beschreibung von J. L. Caspar, *Charakteristik der französischen Medizin*, Leipzig 1822) eine Anstalt, in die man diejenigen brachte, die sich durch ihr Verhalten in der Gesellschaft unmöglich gemacht hatten, auch ohne daß sie geisteskrank waren. Hier waren Menschen eingesperrt, »die Laster geübt hatten, deren Offenbarung sich nicht für das öffentliche Gerichtsverfahren schickte, sowie andere, die wegen grober politischer Vergehen verhaftet worden waren, oder solche, die sich als schlechte Werkzeuge hoher Kabalen hatten brauchen lassen.« In den höheren Pariser Kreisen galt es als ein exklusives Vergnügen, Sades Vorstellungen in dem »Schlupfwinkel für den moralischen Auswurf der bürgerlichen Gesellschaft« zu besuchen. Es ist allerdings anzunehmen, daß diese Amateurvorstellungen zumeist aus Deklamationen im herkömmlichen

Stil bestanden, wie überhaupt der größte Teil von Sades dramatischer Arbeit nicht an die Kühnheit und Konsequenz seiner Prosa heranreicht. Im *Dialogue entre un prêtre et un Moribond* und vor allem in *La philosophie dans le Boudoir* wird jedoch seine dramatische Auffassung deutlich, in der analysierende und philosophische Dialoge gegen Szenerien körperlicher Exzesse gestellt werden, auch zeigt sich in seinen Romanen, durch die außerordentlich konkrete Beschreibung aller Vorgänge, immer wieder sein bildhaftes Denken.

Seine Auseinandersetzung mit Marat, die wir hier darstellen, ist jedoch völlig imaginär und schließt sich nur an die Tatsache an, daß Sade es war, der die Gedenkrede auf Marat zu dessen Totenfeier hielt, und auch in dieser Rede ist seine Beziehung zu Marat noch zweifelhaft, da er sie vor allem hielt, um seinen eigenen Kopf zu retten, denn er war damals wieder gefährdet und stand schon auf der Liste der Guillotineopfer.

Was uns in der Konfrontation von Sade und Marat interessiert, ist der Konflikt zwischen dem bis zum Äußersten geführten Individualismus und dem Gedanken an eine politische und soziale Umwälzung. Auch Sade war von der Notwendigkeit der Revolution überzeugt und seine Werke sind ein einziger Angriff auf eine korrumpierte herrschende Klasse, jedoch schreckt er auch vor den Gewaltmaßnahmen der Neuordner zurück und sitzt, wie der moderne Vertreter des dritten Standpunkts, zwischen zwei Stühlen. Er stellt sich zwar nach seiner Freilassung 1790 dem Nationalkonvent zur Verfügung, wird Sekretär in der Sektion des Piques, wo er mit der Verwaltung der Spitäler beauftragt wird und auch einen Posten als Richter bekommt, bleibt aber ein Einzelgänger und ist von der langen Kerkerhaft so geprägt, daß ihm der Umgang mit Menschen oft schwerfällt. Und wenn er sagt, er sei von den Maßnahmen des alten Regimes geschädigt worden, so kann er sich damit nicht heroisieren, denn es waren nicht politische Gründe, die zu seiner Verhaftung führten, sondern die Anklagen sexueller Ausschweifungen, und in Gestalt seiner ungeheuerlichen Schriften brachten ihn diese dann im neuen Regime auch wieder zu Fall.

Auf welche Weise er sich als Revolteur betrachtete, geht aus folgendem Brief hervor, den er 1783 aus dem Gefängnis an seine Frau schrieb:

»Meine Denkungsart könne man nicht billigen, sagen Sie. Und was macht das? Der ist schön verrückt, der anderen eine Denkungsart vorschreibt! Meine Denkungsart ist die Frucht meiner Überlegungen, sie gehört zu meinem Leben, zu meiner Beschaffenheit. Es steht nicht in meiner Macht, sie zu ändern, und wenn es in meiner Macht stünde, würde ich es nicht tun. Diese Denkungsart, die Sie tadeln, ist der einzige Trost in meinem Leben, sie erleichtert alle meine Leiden im Gefängnis, sie schafft alle meine Freuden auf der Welt, und mir liegt mehr an ihr als an meinem Leben. Nicht meine Denkungsart hat mein Unglück verursacht, sondern die Denkungsart der andern.«

Wir können uns Sade schwer vorstellen in einer Tätigkeit für das öffentliche Wohl. Er sah sich zu einem Doppelspiel gezwungen, befürwortete einerseits Marats radikale Argumente, sah aber andrerseits die Gefahren eines totalitären Systems, auch gingen seine Ansichten zu einer gerechten Verteilung der Güter nicht so weit, daß er sein Schloß und seinen Grundbesitz hergeben wollte, und er fügte sich nicht gleichmütig, als er auf La Coste verzichten mußte, nachdem es geplündert und niedergebrannt worden war. In seinen Theaterspielen äußern sich seine letzten Versuche, menschlichen Umgang zu erreichen, doch bei zunehmendem Alter gerät er ganz in Vereinsamung und Abgeschlossenheit. Ein Arzt der Heilanstalt Charenton beschreibt ihn folgendermaßen:

»Ich begegnete ihm häufig, wenn er allein, mit schweren schleppenden Schritten, sehr nachlässig gekleidet, durch die Gänge neben seiner Wohnung ging. Ich habe nie gesehn, daß er mit jemandem sprach. Wenn ich an ihm vorüberging, grüßte ich, und er beantwortete meinen Gruß mit jener kalten Höflichkeit, die jeden Gedanken, ein Gespräch anzuknüpfen, fernhält.«

Wenn es unsere Erfindung ist, ihn Marat in dessen letzter Stunde gegenüberzustellen, so entspricht die geschilderte Lage Marats der Wirklichkeit. Die psychosomatische Hautkrankheit, die dieser sich während der Entbehrungen in seinen Kellerverstecken zugezogen hatte und an der er während der letzten Lebensjahre litt, zwang ihn, zur Milderung des Juckreizes viele Stunden in der Badewanne zu verbringen. Hier hielt er sich auch auf, als am Sonnabend den 13. Juli 1793 Charlotte Corday dreimal an seiner Tür war, ehe sie eingelassen wurde und ihn erstach.

Die Äußerungen Marats im Lauf der Handlung entsprechen ihrem Inhalt nach, oft fast wortgetreu, seinen hinterlassenen Schriften. Auch was über seinen Werdegang erwähnt wird, hält sich ans Authentische. Als Sechzehnjähriger verließ er das Elternhaus, studierte Medizin, lebte einige Jahre in England, war berühmt als Arzt, verkannt als Wissenschaftler, kam zu gesellschaftlichen Ehren, stellte sich dann aber, nachdem er die Gesellschaft schon lange seiner Kritik unterworfen hatte, ganz in den Dienst der Revolution und wurde, seines heftigen, unversöhnlichen Temperaments wegen, zum Sündenbock für viele Greuel gemacht. Erst Autoren wie Rosbroj, Bax und Gottschalk begannen, am Anfang unseres Jahrhunderts, das einseitige Bild Marats zu revidieren und die Scharfsinnigkeit seiner politischen und wissenschaftlichen Argumente zu erkennen. Kaum eine der Gestalten der französischen Revolution wurde von der bürgerlichen Geschichtsschreibung des 19. Jahrhunderts so abschreckend und blutdürstig dargestellt wie Marat, und dies wundert uns nicht, da seine Tendenzen in direkter Linie zum Marxismus führen.

In unserem heutigen Rückblick müssen wir bedenken, daß Marat zu denen gehörte, die dabei waren, den Begriff des Sozialismus zu prägen, und daß in seinen gewaltsamen Umsturztheorien vieles noch unausgegoren war oder übers Ziel schoß. Wir stellen ihm in unserm Drama den ehemaligen Priester Jacques Roux zur Seite, der in seiner Agitation und in seinem leidenschaftlichen Pazifismus Marat noch übertrifft. Wir nehmen keine Rücksicht darauf, daß Marat sich noch in den letzten Tagen vor seinem Tod von ihm abwandte und auch ihn, vielleicht unterm Anflug des Verfolgungswahns, verurteilte. Roux, eine der fesselndsten Persönlichkeiten der Revolution, erhält hier die Funktion eines Ansporners und Zuspitzers, eines Alter Ego, an dem Marats Thesen sich messen lassen.

Ebenso gestatten wir uns Freiheiten in der Schilderung Duperrets, dem girondistischen Abgeordneten. Er ist hier der konservative Patriot, wie es tausende seinesgleichen gab, und er muß dazu herhalten, als Geliebter der Corday zu gelten, während wir ihren wirklichen Bewunderer, einen Herrn Tournelis, der sich von Caen aus zu den landsflüchtigen Royalisten in Koblenz begab, unbeachtet lassen. In diesem Punkt handeln wir ganz im Geist der Revolutionswirren, in denen man mit Verdächtigungen und Urteilen nicht so genau war, und in denen der arme Duperret, dem die Corday von der Gruppe der Aufständischen in Caen anempfohlen worden war, mit seinem Kopf für diese Begegnung zu zahlen hatte.

Charlotte Corday hatte jedoch niemanden in ihre Pläne eingeweiht. Geschult an der ekstatischen Versunkenheit ihres Klosterlebens brach sie allein auf, und Jeanne d'Arcs und der biblischen Judith gedenkend, machte sie sich selbst zu einer Heiligen.

1. Niederschrift des Stückes Februar – April 1963.
Weiterarbeit November 1963 – März 1964.

Bei der visuellen Ausarbeitung der Figuren des Stücks half mir Gunilla Palmstierna-Weiss. Sie zeichnete die Kostüme für die Uraufführung am Schiller-Theater, Berlin, 29. April 1964, für Peter Brooks Aufführung am Aldwych Theatre, London, 20. August 1964, und für den Film, der nach der Londoner Inszenierung hergestellt wurde, sowie für die Aufführung am Dramatiska Teatern, Stockholm, März 1965, für die sie auch das Bühnenbild schuf.

Für die Uraufführung in Berlin war ihr Mitwirken am Bühnenbild ausschlaggebend: dieses entstand in Zusammenarbeit mit ihr, dem Regisseur Konrad Swinarski, und dem Autor.

Konrad Swinarski danke ich auch für wertvolle Anregungen zu den Bühnenanweisungen und zur Ausformung der Schlußszenen.

Uraufführung am 29. April 1964
im Schiller-Theater Berlin

Regie	Konrad Swinarski
Musik	Hans-Martin Majewski
Choreographie	Deryk Mendel
Bühnenbild	Peter Weiss
Kostüme	Gunilla Palmstierna-Weiss
Jean Paul Marat	Peter Mosbacher
Simonne Evrard	Else Reuß
Charlotte Corday	Lieselotte Rau
Duperret	Lothar Blumhagen
Jacques Roux	Helmut Wildt
Der Ausrufer	Stefan Wigger
Die vier Sänger: Kokol	Holger Kepich
Polpoch	Rudi Schmitt
Cucurucu	Klaus Herm
Rossignol	Barbara Morawiecz
1. Patient	Krikor Melikyan
2. Patient	Werner Stock
3. Patient	Klaus Miedel
4. Patient	Herbert Wilk
5. Patient	Reinhold Bernt
6. Patient	Joachim Kemmer
7. Patient	Klaus Jepsen
8. Patient	J. F. Le Moign
Marquis de Sade	Ernst Schröder
Coulmier	Wolfgang Kühne
Coulmiers Frau	Lilo Zabke
Pfleger, Schwestern, Musikanten	

Von Peter Weiss
erschienen im Suhrkamp Verlag

Abschied von den Eltern. Erzählung, 1961
Die Ermittlung. Oratorium in 11 Gesängen, 1965
Dramen in zwei Bänden, 1968
Fluchtpunkt. Roman, 1962
*Notizen zum kulturellen Leben der Demokratischen Republik
Viet Nam,* 1968
Viet Nam-Diskurs, 1968

Bibliothek Suhrkamp

Trotzki im Exil, 1970 Bibliothek Suhrkamp 255
Hölderlin. Stück in zwei Akten, 1971 Bibliothek Suhrkamp 297

edition suhrkamp

Abschied von den Eltern. Erzählung, 1964 edition suhrkamp 85
Das Gespräch der drei Gehenden, 1963 edition suhrkamp 7
Der Schatten des Körpers des Kutschers, 1964 edition suhr-
kamp 53
Fluchtpunkt. Roman, 1965 edition suhrkamp 125
Marat/Sade, 1964 edition suhrkamp 68
Nacht mit Gästen. Mockinpott, 1969 edition suhrkamp 345
Rapporte, 1968 edition suhrkamp 276
Rapporte 2, 1971 edition suhrkamp 444
Gesang vom Lusitanischen Popanz, 1974 edition suhrkamp 700

suhrkamp taschenbücher

Das Duell. Erzählung, 1972 suhrkamp taschenbuch 41

Über Peter Weiss
herausgegeben von Volker Canaris
edition suhrkamp 408

Der Band enthält folgende Beiträge:
Peter Weiss, Rede in englischer Sprache gehalten an der Princeton University USA am 25. April 1966 unter dem Titel: I Come out of My Hiding Place
Gerhard Schmidt-Henkel, Die Wortgraphik des Peter Weiss
Ror Wolf, Die Poesie der kleinsten Stücke
Helmut J. Schneider, Der Verlorene Sohn und die Sprache
Urs Jenny, »Abschied von den Eltern«
Werner Weber, Zum Fremdling ernannt
Reinhard Baumgart, Ein Skizzenbuch, spätgotisch
Johannes Jacobi, Peter Weiss – ein Dramatiker von Weltrang?
Jürgen Habermas, Ein Verdrängungsprozeß wird enthüllt
Ernst Schumacher, »Die Ermittlung« von Peter Weiss
Walter Jens, »Die Ermittlung« in Westberlin
Henning Rischbieter, »Gesang vom lusitanischen Popanz«
Ernst Schumacher, »Vietnam-Diskurs« in Rostock
Bernd Jürgen Warneken, Kritik am »Viet Nam Diskurs«
Ernest Mandel, »Trotzki im Exil«
Lew Ginsburg, »Selbstdarstellung« und Selbstentlarvung des Peter Weiss
Peter Weiss, Offener Brief an Lew Ginsburg
Peer-Ingo Litschke, Der Schriftsteller Peter Weiss. Eine Bibliographie

Materialien zu Peter Weiss' »Marat/Sade«
Zusammengestellt von Karlheinz Braun
edition suhrkamp 232

Der andere Hölderlin,
Materialien zum »Hölderlin«-Stück von Peter Weiss
Herausgegeben von Thomas Beckermann und Volker Canaris
suhrkamp taschenbuch 42

Gesang vom Lusitanischen Popanz
Mit Materialien
edition suhrkamp 700

Alphabetisches Verzeichnis der edition suhrkamp